「ふ・つ・う・サラリーマン」の起業術

資格なし！　アイデアなし！　カリスマ性なし！

司法書士・起業コンサルタント
柴家まゆみ
Mayumi Shibaie

Clover
クローバー出版

はじめに　起業には、みんな知らない「成功の秘訣」がある

「コツコツ真面目にがんばってきたけど、給料は上がらないし、自由な時間がもっと欲しいし、起業してみようかな……」

そう思ったことはありませんか？

はじめまして。司法書士、起業コンサルタントの柴家まゆみです。

私自身、OLから起業して、**数か月で月商100万円を達成し、今では紹介のみで仕事が途切れない状態**です。

実績としては、今まで250社以上の会社設立に関わってきました。コンサルしたクライアントは、2か月目に月商100万円、YouTubeでの売上500万円超え、1年後に年商億超えなどの成果を出されています。起業後も継続サポートし、補助金の獲得が累計3000万円以上です。

この本では、

・起業に興味はあるけれど何から始めていいか分からない
・自分に何ができるか分からない
・起業って難しそうで自信がない

というサラリーマン・ＯＬの方に、

「あれ？　起業って思ったよりカンタンで楽しそう！」

と思っていただけるよう、私が今まで２５０社以上の会社設立に関わる中で見つけた、売り込みをせずにうまくいく**「自分に合った起業スタイルを見つける方法」**と、成功する起業家とそうでない方の分析から分かった**「成功の秘訣」**をまるっとお届けできればと思っております。

・20代サラリーマンが、起業して月収数百万円超えに。
・30代営業サラリーマンが起業して、売上１・５倍に！
・50代大手企業サラリーマンが起業して、不動産投資の塾運営で成功。

・エステでアルバイトをしていた女性が、独立してサロン経営で成功。
・コロナ禍で売上ゼロの事業主が、年商億超えに。
このような結果を出されているみなさんの事例もご紹介いたします。

この本を手にしてくださったということは、あなたも「起業に興味はあるけど自分にできるのかな……」、そんな風に思っている1人なのではないでしょうか？
実は、多くの方が同じように起業したいと考えたことがあると答えています。

実際、先進国の中で日本のサラリーマンだけが給料が下がる一方、税金は上がり、自由に使えるお金が減っています。がんばっても給料は増えない状況が続いており、実際の生活はどんどん苦しくなるばかりです。

そのような状況なので、もちろん起業したいと考える人は増加傾向にあり、会社を設立する人も増えています。
ただ、5年続く会社（中小企業）は40％しかないとも言われており、起業したもののうまくいかないという人は多くいます。おそらくあなたも起業しようと考えた時、友人のネガティブな意見や、そのようなデータを耳にし、起業に対し一歩踏み出すことを躊躇したことがあるのではないでしょうか。

しかし、そのようなデータがウソかと思えるくらい、**私のまわりの社長の年収は高く、数千万円から億を超える人がゴロゴロといらっしゃいます。**「あれ？　日本ってこんなに景気良かったっけ？」と驚くくらい、どんどん収入が増えている起業家ばかりです。

では、成功する起業家と、成功しない起業家の違いはどこにあるのでしょうか？

会社の設立登記に関わり、その後の経営相談も数多く受ける司法書士としての立場から、成功する起業家と、成功しない起業家の違いを私は長年観察してきました。

そこで、私はいくつかの成功の秘訣を発見したのです。

成功している起業家はそれを当たり前だと思っているので、「成功の秘訣は?」と聞かれてもその秘訣については語りません。そのため、いくら成功しているまわりの起業家にインタビューしてもその秘訣が分からないため、成功しない起業家が増え続けているのです。

この本であなたにお伝えしたいことは、経営学の教科書に載っている学問や、机上の空論ではありません。**実際に1人で起業して、成功している起業家の、生きた「成功の秘訣」をまるっとお伝えしたいと考えています。**

なぜ私がこのような本を書こうと思ったかというと、せっかく起業するアイデア・スキル・経験を持っていても、きちんとした知識がないばかりに経営が行き詰まってしまう起業家をたくさん見てきたからです。

みなさん真面目で、仕事をがんばってきた方々です。
でも、サラリーマン時代の知識だけではなかなか成功できません。

起業家という新しい働き方には、サラリーマンとは違うルールがあり、必要な知識も違います。また、さまざまな情報があふれているこの世の中で、正しい情報を選ぶことも難しくなっています。

私自身、手取り18万円のブラック事務所で働いていた時期に、「時間もお金も自分でコントロールするには起業するしかない！」と思い、いろいろ勉強しましたが、実際に起業すると分からないことばかりで、手探りで進んできました。失敗もしましたし、なかなか前に進まず、不安でいっぱいな時期もありました。

その時に、成功している起業家の観察をし、成功の秘訣を知ることができたおかげで事業が安定し、収入はＯＬ時代の数倍となり、自由に使える時間も増えました。毎月のように好きな旅行に行き、好きな人たちとだけ関わり、紹介だけで仕事がまわる幸せな状態になっています。

また、その後、私が成功の秘訣をお伝えした起業家の方々も、しっかりと収益を上げていらっしゃいます。例としては、サラリーマン時代から副業で収益を上げて脱サラした50代半ばの男性、1か月で月商100万円超えの30代後半の女性、脱サラ後すぐに300万円の利益を出した30代後半の男性、1年で億超えした30代前半の男性もいます。

収入面の変化はもちろんですが、みなさん人間的に成長され、自分に自信が持てるようになり、どんどん楽しい人生に進化しています。

私もクライアントさんも、ひとり起業で、元々お金があったわけではありません。

画期的なアイデアがあったわけでもありません。

カリスマ性や、人脈があったわけでもありません。

成功の秘訣を学び、コツコツ実践しただけです。

実は、コツコツが得意な真面目なサラリーマンこそ、最も起業に向いていると言っても過言ではありません。

「真面目な」というのは、「毎日会社に行っている」こと。これだけで、大丈夫です。

終身雇用制度が崩れている今、国も起業を応援しています。以前に比べて会社を設立するハードルはものすごく下がりました。給料アップも年金もあてにできない今、自分自身で会社以外の収入をつくることが大切になってきており、今後は必須になると考えられます。起業がスタンダードになることで、日本人の幸福度はアップすると私は思っています。

まずはこの本で、起業家の「成功の秘訣」を手に入れていただき、まわりより一歩リードし、将来に備えた起業への一歩を踏み出していただけたら、本当に嬉しく思います。

目次

第3章 みんなが知らない成功の秘訣とは？

第4章 月100万円を生み出す起業ロードマップ

第5章　リアルな起業成功ストーリーを公開！

第1章

実は、サラリーマンこそ起業に向いている！

第1章では、
サラリーマンがなぜ起業に向いているのかという理由と、
日本の現状や時代の流れ、
そして、起業することのメリットをまとめました。

第１章のポイント

●サラリーマンは
「継続力」
「ビジネスマナー」
「コミュニケーション能力」
という起業基本スキルが身についている

●日本で、会社の**給料は増えない**

●**国も起業支援制度**（補助金・助成金など）
を用意している

●**「人生100年時代」**という視点で働き方を考える

毎日会社に行くだけで、起業の基本スキルは身についている

「サラリーマンの方は起業に向いていますよ」

と伝えると、驚かれることがとても多いです。

サラリーマン・ＯＬとして会社に所属して働いていると、社長は自分たちとは違う存在だと感じ、自分から勝手に距離をつくってしまいます。

しかし、多くの社長は、元々あなたと同じサラリーマンです。同じように学校に通い、勉強していた、同じ人間なんです。

会社での人間関係に疲れてしまったり、就職してみたけれどやりたい仕事ができなかった結果、サラリーマンを続けられずに起業した方も多くいます。

このように、実はサラリーマンと社長の間に大きな差はないので、私は「みなさん起業に向いていますよ」とお伝えしています。

サラリーマン時代は「起業の下積み時代」と考えてみると、仕事への取り組み方が変わってくるかもしれません。

起業はもちろん、**何かを成し遂げるために必要なスキルとして「継続力」があります。**ダイエットや筋トレでも、継続が重要ですよね。

「毎日同じ時間に起きて、電車に乗り、会社に行く」

これを何年、何日続けているか、ぜひ、数えてみてください。

まだサラリーマンになって日が浅い方は、学校に通った日数でも大丈夫です。

どうでしょうか？

１か月20日勤務だったとして、年間２４０日、５年で１２００日にもなります。

サラリーマン時代は「起業の下積み時代」と考える

毎日同じ時間に起きて、
電車に乗り、会社に行く

↓

継続力

ビジネスマナー

コミュニケーション能力

これらの能力が
自然と身についています

すごい継続力だと思いませんか？

毎日会社に行くだけで、起業に必要な継続力が身についています。

また、**会社で働くことにより、人とのコミュニケーション能力や、最低限のビジネスマナーも身についているので、起業がうまくいきやすいのです。**

そのため、先ほども言いましたが本当に、サラリーマン時代は「起業の下積み時代」なんです。

下積みで終わらせず、ぜひ形にしていただければと思っています。


起業は一発勝負のギャンブルではありません。

長く続けていく、人生の「ライフワーク」として考えていただければと思います。

私はもう17年間、司法書士という仕事をしており、コンサルティングの仕事も5年以上続けています。

やればやるほどスキルがアップし、いい仕事ができるようになり、お客様からの信頼も増し、仕事が増えていっています。

この感覚は、勤務していた頃には分かりませんでした。

ＯＬ時代にもかなり多くの仕事をこなしていましたが（今より多かったかもしれません）、どんなに仕事をしても自分の仕事ではなかったからです。

特別なことはしていませんし、目立つことも好きではないので、本当にコツコツやってきただけですが、ＯＬ時代と今とでは、得られる収入も時間もまったく違います。

このあたりの秘訣はまた後ほどお話ししますが、大きなアイデアがなくても、真面目にコツコツ続けることさえできれば、大きな結果が得られますよ。

これからは起業が必須の時代に

トヨタ自動車の豊田章男社長（2023年1月、社長退任を発表）や、経団連の中西宏明会長の「終身雇用を守っていくのは難しい局面に入ってきた」という発言が話題となったことは、みなさんの記憶にも新しいのではないでしょうか。

「終身雇用制度」とは、企業が従業員を、生涯（入社から定年まで）にわたり雇用する制度のことを指します。

しかし、「制度」といっても、法律などで明確にルールになっているものではありません。あくまでも、企業と従業員間における努力目標で、今ではあまり聞かれなくなってきました。

日本で終身雇用制度が定着したのは、景気が良く、どの企業も売上が右肩上がりだった1950年頃と言われています。業務量が増え、労働力が必要となったため、優秀な人材を長い間確保しなければならないということで、打ち出されたのが「終身雇用制度」です。

現在では、終身雇用を維持できている企業のほとんどは大企業で、これは日本の会社員の、たった1割にすぎないと言われています。

「就職すれば一生安泰」という時代もあったかと思いますが、学校や塾で一生懸命勉強し、受験競争に勝ち、高校・大学に入学し、就職活動をしてやっと就職しても、残念ながらそれで一生安泰とはならなくなってしまいました。

会社の倒産、リストラなどで苦しんでいる方からのご相談も、今までたくさんありました。

ある30代前半の女性は、勤めていた企業でなんと二度も倒産を経験し、もう会社に頼る生活はしたくないので起業したい！　と相談にいらっしゃいました。

勤め先から給料を払ってもらえていない、ボーナスがカットされてしまい生活が苦しいので、副業を始めたいというご相談も多くあります。

先日ご相談にいらっしゃった30代後半の男性は、コロナ禍の影響で急に会社が業績不振となり、突然リストラされ、起業の勉強をしたい！ と駆け込むようにコンサルティングを受けにいらっしゃいました。

私が起業をサポートしているのは、**病気やリストラなど、さまざまな事情で会社員としての仕事を失った場合でも、「自分で仕事ができれば困らない」ということが分かっているから**です。

「会社員は安定している、起業は不安定だ」とおっしゃる方もいますが、本当にそうでしょうか？ 収入、休暇、退職時期など、自分でコントロールできないことが多いということは、不安定なのでは？ とも思います。

いずれにせよ**終身雇用の時代は終わり、私たちはより変化の多い時代を生き抜く必要が出てきました。**

会社員か？　独立起業か？
サラリーマンだと……
終身雇用制度崩壊
ボーナスカット
給料未払い
リストラ
休暇が取れない
会社倒産!?
独立起業すると……
定年なし
好きな時に休める
すべて自分で
コントロールできる！
収入は青天井
自分で仕事ができれば
困らないですよ

世界と比べて、日本の給料だけ上がっていない現状

「こんなに一生懸命働いて、毎年仕事のスキルは上がっているのに、給料が上がらないのはなぜだろう?」

そのように感じたことがある方は多いのではないでしょうか。

私はOL時代、いつもそう感じていました。

日本人の平均給料は、リーマンショック前の水準までなんとか復活してきているものの、1990年代よりも低い状態です。

そしてさらに残念なことに、働き盛りの30~40代の給料を10年前と比べると、先輩たちが同年代の頃にもらっていた額よりもはるかに少なくなっているのが現状です。

30〜40代の給料は、10年前と比べて激減している

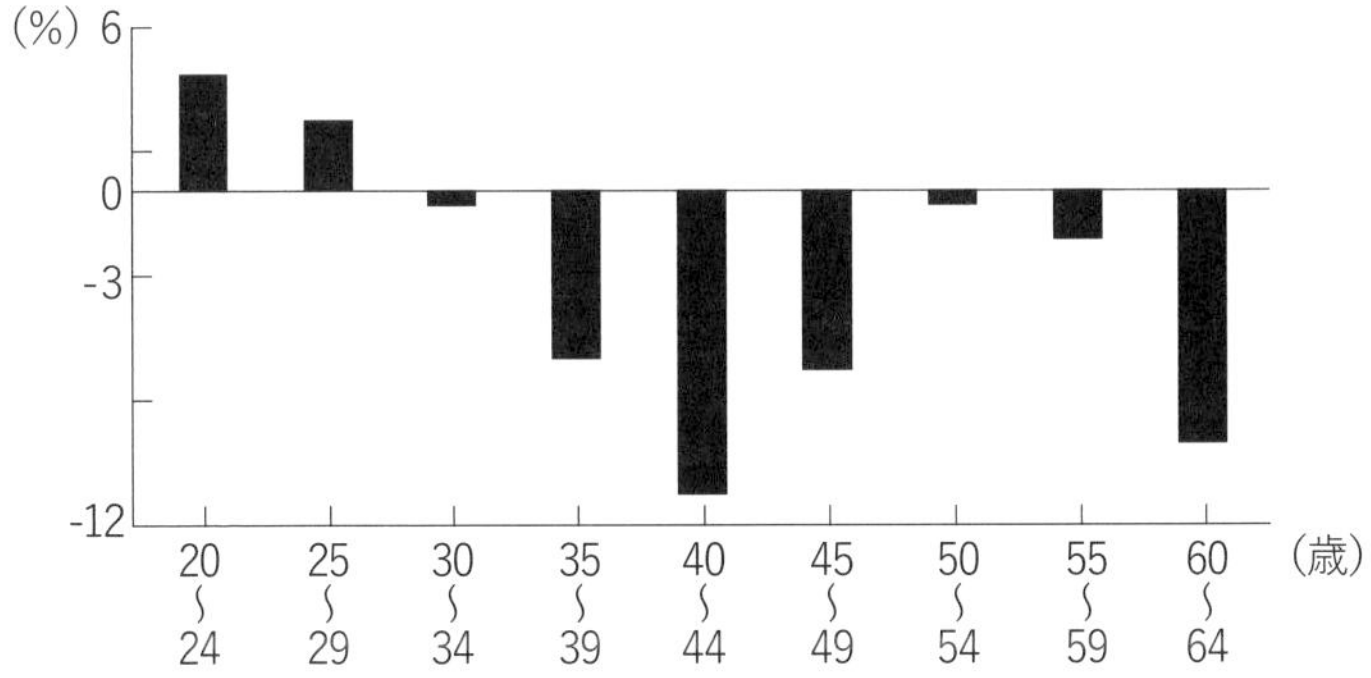

10年前比較給与増減率

給料はここ10年で上昇しているが、90年代より低くなっている

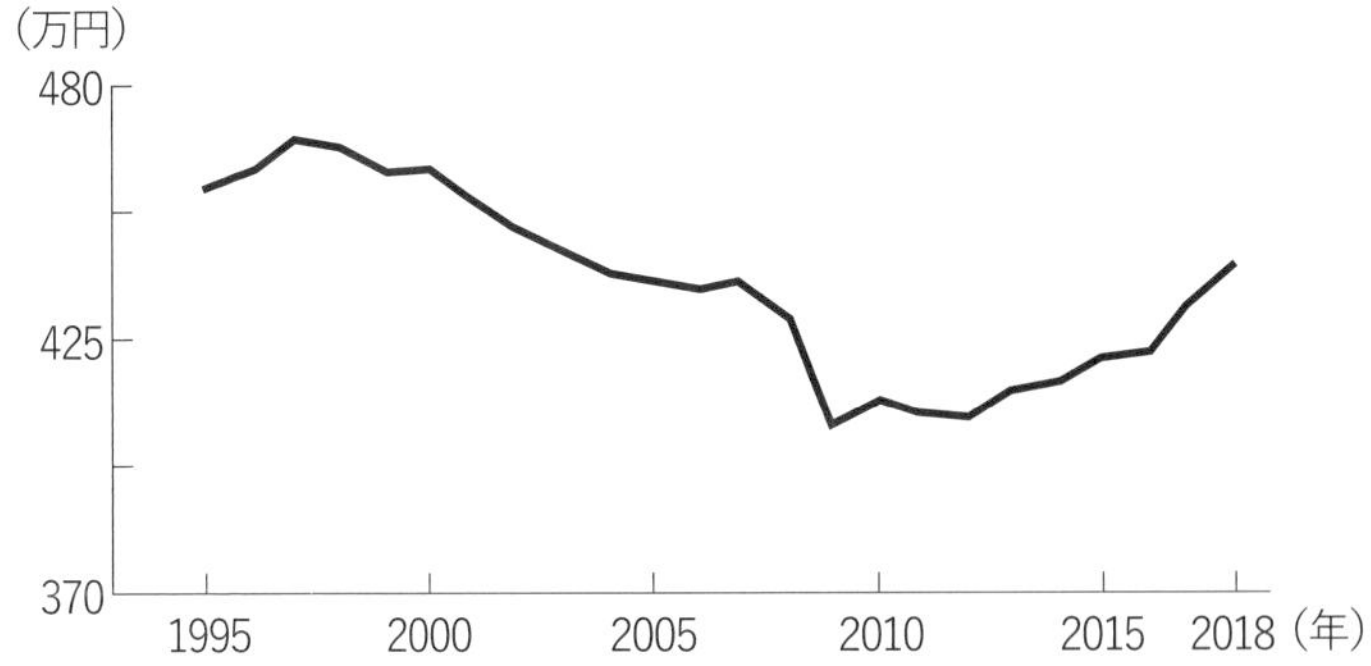

給与所得者の平均給与

国税庁「民間給与実態統計調査」結果より

以前は会社の上司から飲み会でおごってもらうと、「君が上司になった時に、部下におごればいい」と言われた方も多いのではないでしょうか？

しかし、上司になっても給料は増えず、そんな余裕はないと感じている方も多いと思います。

ＯＥＣＤ（経済協力開発機構）によると、２０２０年における日本の平均給料は、なんとアメリカの約半分！　ドイツの７割程度となっています。

諸外国の給料が上がっているということは、それに伴って物価も上がっていることを意味します。食品など、日常的に購入している商品の多くは輸入で支えられているため、**「給料は上がらないけど、物価は上がる」**という、サラリーマンには苦しい状況です。

働いても働いても、給料が増えない５つの原因

では、なぜ日本人の給料は、まったくと言っていいほど上がらないのでしょうか？

給料が上がらない原因が分からないと、何も対策ができません。

いろいろな議論がなされていますが、大きく５つの原因が考えられます。

①労働組合の弱体化

日本はバブル崩壊によって、１９９０年代以降、景気が後退しました。

アメリカ、ヨーロッパのように人員カットで対応するのではなく、「雇用を維持しながら、賃金で調整する」という方法が取られ、その際、労働組合も、

解雇されるよりはと給料を下げることに同意したため、「賃上げ要求」の圧力が企業側にかからなくなりました。ストライキを起こすということも、ほとんど見られなくなったのはこのためです。

日本の労働組合は自分たちの雇用を守るために、会社側の要望を聞き入れる体質になってしまいました。

②非正規雇用者の増加

「労働者派遣法の改正」によって、会社が、給料の低い非正規雇用者を雇いやすくなったことは、給料が上がらない原因の1つと考えられます。

正社員は、給料アップの交渉をしたくても、会社から「給料の低い非正規雇用者を雇えるから、もう辞めていいよ」と言われてしまっては困るので、給料アップの交渉がしづらくなってしまいました。

③終身雇用制度の崩壊

転職が当たり前になったことも、給料が上がらない原因と考えられます。

終身雇用が前提だった頃は、「経営者と従業員で力を合わせて会社を良くしていこう！」という考えだったため、少ない利益の中からも給料を上げたり、手当を出したりしたこともあったようです。

今は、いつ辞めるか分からない従業員を、あまり大切にしない経営者もいます。

また、給料は上げると下げづらいため、以前のような右肩上がりの経済ではない近年、基本給を上げることを避ける会社が増えています。

まわりの経営者の方々も、給料を上げるのはなかなか難しいとおっしゃっています。

④内部留保を貯め込んで、給料を上げない

バブル崩壊後、「雇用さえ確保しておけば、給料が上がらなくても文句は言

わせない」という雰囲気に変わり、労働組合が弱体化したのをいいことに、企業は内部留保を貯め込んでいます。

日本企業の内部留保は、2017年度の法人企業統計によると、446兆4844億円（金融業、保険業を除く）に達しています。金融、保険業を含めれば507兆4454億円となり、初めて500兆円の大台を超えています。

内部留保を新たなビジネスに投資し、業績を拡大していく企業はいいのですが、ただ貯め込むだけで、給料にまったく反映されないケースも多くなっています。

⑤コスト削減重視の会社が多い

大前提として、会社の業績が拡大しないと、給料は上がりません。

しかし、業績の拡大には時間も労力もかかるため、経営者は、非正規雇用の拡大や、下請けへの圧迫など、簡単なコスト削減策を選びがちです。

コスト削減重視の会社が多いため、結局、業績は拡大せず、給料は上がらな

――い状態が続いてしまっています。――

以上、給料の上がらない原因を5つあげてみましたが、いかがでしたでしょうか？

残念ながら、すぐに解決するような問題ではなく、今後も給料が上がらない状態は続きそうだという現状が、分かっていただけたのではと思います。

最大の問題は、給料を上げるということに対し、前向きな会社が少ないことだと私は感じています。

一方で物価は上がり、さらには税金も上がっているため、会社に頼らず自分自身で何か対策をする必要があります。

その対策の1つとして、「起業」を考えられることを私はおすすめしています。

起業すると、実はおトクがいっぱい！

終身雇用制度が崩壊した今、どのような働き方をする必要があるのでしょうか？

副業を解禁する会社が増えたことからも分かるように、世の中の流れは「スキルを身につけ、自分で生きていく力をつける」人を増やそうという流れになっています。

つまり、「もう会社は一生面倒を見ることはできないので、自力でがんばってね」ということです。


国の起業支援制度も増えていますし、補助金や助成金も数多く用意されています。

起業は、こんなにおトク！

終身雇用制度が崩壊した今、このような変化があります。

国の予算では

・**起業支援制度**が増えている
・補助金・助成金も増えている！

税金面では

・起業すると、
節税対策としても有効！

会社では

・副業を解禁しているところもある。
起業準備しやすい

「スキルを身につけ、
自分で生きていく力をつける」人を
増やそうという流れになっています

今の日本経済に対して、起業が必要だと国が判断しているからこそ、国の予算がそこに使われているということです。

もちろん、なんでもいいから起業しようということではありません。

今後どのようなビジネスモデルが伸びるのかなど、しっかりと時代の流れを読みながら、スキル・知識を身につけることが大切だと思います。

（実は……税金対策としても、起業は有効です。このあたりは本に書くことは難しいので、クライアントさんにだけこっそりお話ししています。）

人生１００年時代、一生続くビジネスを

日本人の寿命は延びていますが、残念ながらもらえる年金額は下がっているため、定年後も収入を得る必要が出てきています。

定年後にどこかの会社に勤めたり、バイトしたりして給料を得ようと考えると、年齢制限があったり、給料が低かったり、体力的にきつい仕事も多く、選択肢があまりありません。

自分のビジネスであれば定年はありませんし、スキルは積み重なっていきます。労力をあまり使わずに収益を上げられるよう、ビジネス構築をすることもできます。

一生続けられる仕事を、サラリーマン時代からしっかりつくっておくと、人生100年時代を不安なく楽しめるのではないでしょうか。

「でも、どのように起業していけばいいのかイメージができない……」

という方も多いと思いますので、起業を学び、サラリーマンを卒業した私のクライアントさんの起業ストーリーを、第2章でシェアしたいと思います。

第2章

どんな小さなことでも起業ネタになる

サラリーマンをしていると、起業は遠い世界の話だと考えてしまうもの。この章では、サラリーマンの方が起業を考え始めたきっかけや、どのように仕事を始めたのかという事例、そして、小さく始めて成功するコツをまとめました。

第２章のポイント

●成功事例

・20代サラリーマンが起業して月収数百万円超え

・上司とケンカをした50代サラリーマンが得意分野で起業して成功

・30代OLが起業して紹介だけでビジネスがまわるように

●自分では当たり前だと思っているスキル・知識こそがビジネスになる！

●起業に初期費用をかけない

●おすすめは「教えるビジネス」

仕入れ、場所代・交通費などがかからず、
パソコン1台で起業できる

事例1　20代サラリーマン
田中友哉さんの起業ストーリー

「仕事に魅力を感じなくなって、辞めたくなっちゃったんです」

田中さんからご相談を受けたのは、渋谷のカフェでした。

田中さんとはビジネス交流会で出会ったのですが、小さなお子さんもいらっしゃり、ご家族のためにと仕事に燃えている方だったので、お話を聞いた際にはビックリしました。

「どうしたんですか？　何かあったんですか？」

とお聞きすると、

「長年真剣にやってきたんですが、他の業界もいろいろ見えてくると、自分はずっと狭い世界にいたんだと気づいて、このままでいいのかと思ってしまって」

と悩んでおられました。

そこで、「起業の道は考えないんですか?」とお聞きしたところ、

「もちろん興味はありますが、自分にできることなんてあるんでしょうか?」

とのお答えだったので、

「どなたでも、できることはあるので大丈夫ですよ!」

とお話しして、まずは起業準備を一緒に始めてみることになりました。

いろいろヒアリングしていったところ、**田中さんは営業のお仕事をされていて、ご自身の営業理論をしっかりお持ちだったため、その強みを生かして起業すること**になりました。


田中さんには6か月ほどコンサルティングをさせていただき、しっかりと準備期間を設けることができたため、会社を辞めて自分の会社を設立された後、すぐに月収数百万円を超え、会社員時代のお給料の何倍もの収入を得られています。

起業することによって、時間のコントロールもでき、ご家族と過ごす時間も増えたようです。

自分にとっての当たり前が、起業のネタになる

会社内、または会社外で成果を出していたことは何ですか？
自分のしてきたことの棚卸をしましょう。

今までの
成功体験・独自の理論
が強みになります

自分にとっての当たり前のスキルが、
周囲の人にとっては
ありがたいものだったりします

ただ、田中さんも最初は、「こんな、たいしたことないスキルでいいんでしょうか……、自分にできるのかな……」と初めての起業に不安を感じていらっしゃいました。

「きちんと学べば大丈夫ですよ」と、トレーニングを提供しながら一緒に進んでいったところ、どんどん自信をつけ、堂々とした態度に変化していきました。

特に、プレゼンテーション能力が伸びたと感じます。

私は、クライアントさんのそのような良い変化を見ることが大好きです。

また、**自分にとっては当たり前のスキルでも、まわりの人にとってはすごくありがたいもの**だったりします。

自分を客観視するのはなかなか難しく、自分には何もないと感じてしまう方もいらっしゃるかもしれませんが、ちゃんと魅力がありますので安心してくださいね。

はじめはみんな不安だったり自信がなかったりと、スタートは一緒です。

そこから自信をつけていくコツや、自分の魅力や起業の方向性を見つける方法は、また後ほどお伝えしていきますね。

事例２　50代サラリーマン
伊藤一雄さんの起業ストーリー

伊藤さんとは、共通の知り合いが主催したイベントで数年前にお会いし、その後はFacebookでつながっていた程度でした。私の仕事内容などをＳＮＳで見てくださっていたようで、久しぶりにご連絡をいただき、お会いしたところ、

「実は、上司とケンカをしてしまい、会社を辞めないといけなくなってしまったんです……」

というご相談でした。

伊藤さんは穏やかな方ですが、どうやら理不尽な上司にあたってしまい、我慢の限界だったようです。長年同じ会社にお勤めになっていて、本当に真面目に仕事に取り組んでおられた方なので、相談を受けた時はとても驚きました。

「それは大変でしたね……今後は、どうしていこうと思っているんですか？」
とお聞きしたところ、
「もう会社には行けないので、年齢を考えても再就職というよりは起業したいんです。それでご相談したくて、ご連絡しました」
とのお話でした。

最近は、定年後を考えた**「セカンドキャリア」**としての起業相談も多くなっています。

伊藤さんのお話をうかがう中で、**サラリーマン時代から勉強して、投資に取り組んで成果を出されていたので、そちらを軸として起業の道を構築していく**ことになりました。

マーケティングも、ブランディングもまったく知らない状態でしたが、YouTubeチャンネルを開設し、そこからお問い合わせをいただいたり、まったく使っていなかったSNSを活用することができるようになりました。

また、服装や見た目、話し方のコンサルティングもさせていただいたことで、人と会う際に自信がつき、お友達からも変わったね！　と言われ、相手に好印象を与えることができるようになりました。

ご相談にいらした際は本当に悩んでおられ、元気もない状態でしたが、今はとても明るくなり、前向きにビジネスに取り組まれているので、本当に良かったと思います。

事例3　30代OL

私の起業ストーリー

さて、最後は私自身の起業ストーリーをシェアしたいと思います。

大学を出る際に、就職氷河期だったことと、やはり女性はまだまだ働きづらい会社も多いということを先輩の話から感じていたため、「資格を取ってみよう」と考えたのがきっかけで、資格の予備校に相談に行きました。そこで、「女性向きですよ」とすすめられた「司法書士」の勉強をすることに決めました。

なんとか講座の費用60万円を支払い、予備校に通い始めましたが、勉強量が想像よりはるかに多く、毎日10時間勉強しても試験範囲が終わるかどうか……というレベルで、合格率2・8％の試験を突破するのは本当に大変でした。

2年ほど勉強して合格し、司法書士事務所に就職したものの、仕事はとても厳しく、さらに手取りの月給が18万円で残業代も出ず、毎日終電でふらふらになって帰っていた時期もありました。

「このままでは好きな旅行にも行けないし、ずっと続けていくのは体力的にもきついし、どうしよう……」

と悩み、どうにかして独立起業しようと考えました。ですが、司法書士という肩書だけでは、古くからある司法書士事務所との差別化も難しいのではと感じ、なかなか前に進めませんでした。

しかし、パワハラ上司と激務に耐えて勤めているのが、いよいよツラくなってきたため（残業を押しつけられたり、よくどなられていました）、本を読み、セミナーやコンサルティングを受けて、マーケティングやブランディングなどビジネスの基礎をしっかり学び、起業することにしました。

最初は不安もありましたが、**コツコツ仕事を積み重ねてきた結果、今ではご紹介だけで仕事がまわるようになりました。**

ふらっと好きなところに旅行に行けるようになり、ライフスタイルも大きく変わりました（毎週のように旅行に行っている月もあります）。

あのままブラック事務所にいたら今でも終電生活だったのかな……と考えると、ゾッとします。

起業することによって人生が豊かになり、好きなことができるようになりました。また、会社に勤めていると上司や同僚は選べないですが、起業すれば好きな人たちとビジネスができるところも、とても気に入っています。

勤めていた頃は、起業という道は遠く難しく感じていました。でも実際に起業してみると、楽しいことのほうが多く、もっと早く起業していればよかったと思います（そうおっしゃる社長は、実際、とても多いです）。

そんな自分の経験や、サポートしてきた250社以上の会社のデータを生かし、起業の道に進みたいと考えている方のお力になりたいとの思いで、お仕事をさせていただいております。

こんな小さなことでもビジネスになる

「自分には何ができるか分からない。自分にできることなんてあるのかな？」と思う方も多いと思います。

普段どおり生活していると、そこまでたくさんの方にお会いする機会がないため、自分で思いつく仕事の種類には限界があると思いますが、**実は世の中にはたくさんの仕事が存在しています。**

私のまわりでは、スマートフォンの使い方や、写真の撮り方を教えている方もいます。自分の趣味仲間を集めてイベントを開いている方もいますし、自宅で料理教室をしている方もいます。自分の趣味についての動画をYouTubeにアップして、年収1000万円超えの方もいます。

ここにあげたのはほんの一例ですが、スマートフォンを使えるという方（たぶんほとんどですよね）や、これはけっこう詳しいよという趣味をお持ちの方は多いと思います。

でも、それがビジネスになるとは思っていないので、みなさんビジネスにしていないだけなんです。

ご自身では当たり前だと思っているスキル・知識が、実は当たり前ではなく、きちんとビジネスになる場合が多々あります。また、足りない部分は学んで補えばいいだけです。

みなさんが持っているスキル、魅力をビジネスとして構築するお手伝いができれば幸いです。

初期費用がかからない「教えるビジネス」の可能性は無限大

起業したいという相談はたくさん受けてきましたが、どのように起業するか考える時に、**「初期費用がかかるかどうか」**という点は、ぜひ検討していただきたいところです。

店舗系のビジネスは初期費用がかかりますが、そうでないものもあります。

たとえば私の場合ですが、初期費用はパソコン（中古）と家庭用プリンター、あとはＷＥＢ関連のシステム費用と文房具だけでした。トータル15万円程度だったと思います。

私の場合はどうしても紙ベースになってしまうものが多かったので（登記申請書類や契約書など）、その分の費用は少しかかってしまいましたが、WEBのみで完結するようにビジネス構築をすれば、もっと抑えられると思います。

初期費用がかかるということは、借金をして万が一、軌道に乗らなかった場合、借金だけが残り、損をしてしまいます。そのため、まずは初期費用のかからないビジネスから始めて起業の知識を得ながら、徐々にステップアップしていくことを私はおすすめしています。

初めての起業の場合、初期費用のかからないビジネスとして、特におすすめなのは「教えるビジネス」です。知識を提供するため、物を仕入れるなどの費用がかからず、今はWEBでセミナーもコンサルティングも行うことができるため、交通費や場所代・店舗代もかかりません。

パソコン1台で起業することができる、良い時代になっています。

教えるネタは、先ほどお話ししたとおり、実はみなさんの中にたくさん眠っています。

おすすめは「教えるビジネス」

起業のポイントは、
初期費用がかかるかどうか？
です。

「教えるビジネス」のメリット

- **WEBを使えば**
  場所代、店舗代不要
- **交通費不要**
- **仕入れ不要**

初期費用を抑えられます

「教えるビジネス」は、
パソコン1台で
起業できるのです

正しくお金と時間を投資していけば、ビジネスは大きくなっていきます。

初期費用を抑えた分をぜひ、知識やマーケティングに投資してください。

結局、うまくいく経営者は学びにきちんと投資しています。

私も学びにきちんと時間とお金を使ってきたからこそ、安定したビジネス構築ができました。


数百億円規模の会社経営者であっても、常にセミナーやコンサルティングなど、学びを怠っていません。

また、人とのつながりもとても大切にしているので、会食やパーティーへ出席する時間や費用も惜しみません。

お金と時間をどこにかけていくかということは、ビジネスをしていく上でとても大切な視点だと思っています。

第3章

みんなが知らない成功の秘訣とは？

この章では、
起業する前にやっておきたいことをまとめました。
いきなり起業するのではなく、
まずは自分自身の棚卸を行うことや、
起業家マインドを理解しておくことがとても大切です。

第3章のポイント

●まずは、**自分の特性をきちんと理解**する

●足りない点ではなく、**得意な点にフォーカス**する

●**「自分にとっての幸せ」を明確**にする

●**相手の感情を理解**して、人間関係を良好にする

●低リスクの**スモールスタートから始める**

●**「こうなったら面白そう」「こうなったら便利」**という発想で行う

●起業家マインドを持とう
・**解決思考型**になる
・自分で決めて前に進み、**自信をつける**
・**ポジティブ思考**でいる
・何でも**自由にやってみよう**

まずは、自分をきちんと理解すること

ここで、少し質問です。

- あなたの好きな食べ物は何ですか？
- 好きな映画は？
- 趣味は？
- 得意なことは？
- 苦手なことは？
- そして、それぞれなぜそう思うのですか？

このように聞かれた時、明確に答えられますか？

私は起業初期にこのワークをやった時、すぐには答えられませんでした。

元々書類作成がメイン業務だったので、職場の同僚以外に会うことがなく、自分のことを人に話す機会もほとんどなかったため、自分自身のことをよく分かっていなかったからです。

「自分のことなのによく分からないし、説明できない……」

私はそんなダメダメな状態から、〈自分の特性を理解するワーク〉をスタートさせました。

まずは、次ページの表を埋めてみてください。

いきなり書くのは難しい部分もあると思います。1週間くらい、今やっていることの作業は好きかな？　嫌いかな？　とか、今とっても幸せな気分だけどなんでだろう？　なんだか気分が落ちてるけどなんでだろう？　など、**1つひとつの行動を分析してみると、自分の取り扱い説明書というか、自己分析ができてくる**と思います。

また、**自分の歴史を振り返ってみる**こともおすすめです。

自分の特性を理解するワーク	
好きなことは何ですか？ （趣味・特技など）	
嫌いなことは何ですか？ （できればあまりやりたくないこと）	
得意なことは何ですか？ （人から褒められることや、長くやっていて苦じゃないこと）	
苦手なことは何ですか？ （時間がかかることや、面倒だと感じること）	
今までやってきたことは何ですか？ （仕事でも趣味でも〇）	
どんなライフスタイルが理想ですか？ （1年後、5年後どんな生活をしていたいか）	

小さい頃どんな子供だったか、どんなことが好きだったか、どんな家庭環境だったか、どんなことをがんばっていたかなど、どのような道をたどって現在の自分に至ったのかを分析してみてください。

自分は本当はこんなことがしたかったんだなぁと思い出せ、自己分析にとても役立ちます。

なぜ自分の特性を理解することが大切かというと、「得意なこと、好きなこと」をベースに起業の方向性を決めると、成功率が高いからです。

例えば、私の例を次ページにあげました。

基本、人前で話すことや、強いリーダーシップを発揮することは苦手です。なので、そのようなスキルが必要なビジネスモデルはあまり向いていません。

そのかわり、人の話を聞いてまとめたり、リーダーをサポートしたりすることは得意ですし、好きです。

※柴家版〈自分の特性を理解するワーク〉	
好きなことは何ですか？ （趣味・特技など）	趣味:旅行、お酒、食べ歩き、読書 特技:分かりやすい資料作成
嫌いなことは何ですか？ （できればあまりやりたくないこと）	営業活動、運動、早起き
得意なことは何ですか？ （人から褒められることや、長くやっていて苦じゃないこと）	リサーチ力、イベント企画・集客、人脈形成、仕事の早さ
苦手なことは何ですか？ （時間がかかることや、面倒だと感じること）	組織のリーダーになること
今までやってきたことは何ですか？ （仕事でも趣味でも〇）	登記業務、法律業務、イベント主催
どんなライフスタイルが理想ですか？ （1年後、5年後どんな生活をしていたいか）	1年後には会社を辞めて、朝ゆっくり起きて、プライベートも大切にしながら楽しく仕事をしている

得意なこと、好きなことをベースに、これをビジネスに生かすとしたらどのようなビジネスがあるかな？　と考え、市場とマッチングしていくと、楽しく、世の中に求められるビジネスをすることができます。

自分としても楽しいことなので、仕事がはかどり、収益も上がるようになります。

「儲かること」からビジネスを構築していただくのもいいと思いますが、これは論理的な思考ができ、苦手な分野の努力ができる人でないと、モチベーションが続かない可能性があります。

それもまた、個人の特性によると思いますので、自分は「好きなこと」と「儲かること」のどちらが向いているかな？　と考えて、自分の特性の理解をしてみてくださいね。

足りないところより得意なところ

「起業って難しそう」

というイメージを持つ方も多いと思います。

実際経験したことがなく、分からないことが多いので、難しいのでは？　と感じられる方が多いのは、よく分かります。

しかし私が経験してみて、そして250社以上の会社をサポートしてきて思うことは、**「起業は自分の得意なことを生かして、いろいろな方と協力できるから、サラリーマンよりラク」**ということです。

サラリーマンをしていると、自分の得意なことや自分の希望とは関係なく、部署が変更になることもあります。また、会社は少ない人員でたくさんの仕事をこなしたほうが儲かるため、業務過多で忙しい時は、協力するというよりは仕事の押しつけ合いになってしまうこともあると思います。

起業の場合は、自分の得意なことを「これが私の仕事です」と掲げることになりますので、その他のことをすることは、まずありません。

そして**苦手なことは、外部に委託すればいい**のです。お互いの好き・得意を生かしている人たちと協力して、仕事を進めることができます。

「サラリーマンとして、会社から求められるいろいろなことに対応できなかったから、起業しただけだよ」とおっしゃる社長はとても多いです。

自分の苦手にフォーカスするのではなく、得意にフォーカスしてみてください。

思いがけないアイデアが出てくるかもしれません。

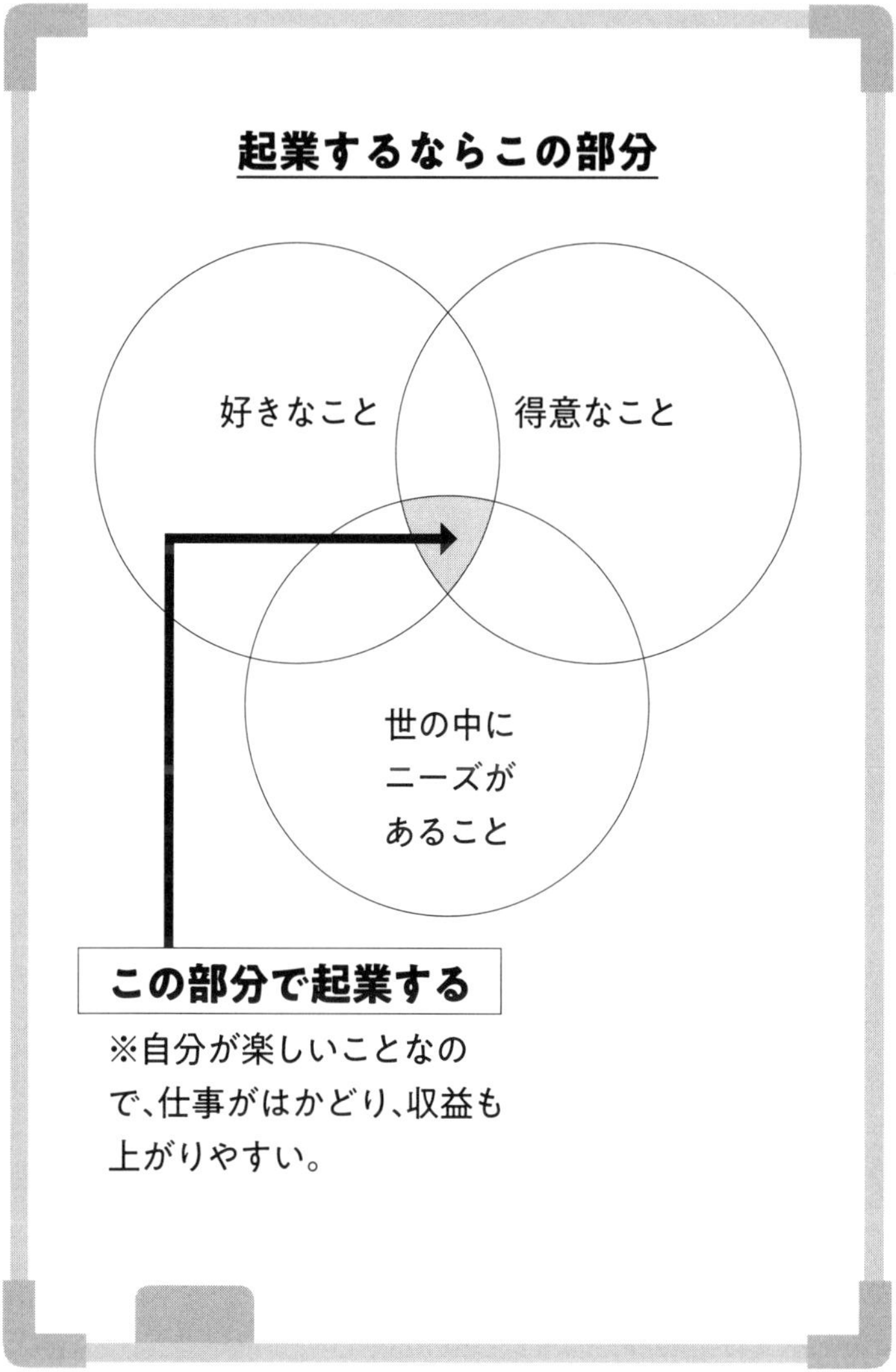
起業するならこの部分
好きなこと
得意なこと
世の中にニーズがあること
この部分で起業する
※自分が楽しいことなので、仕事がはかどり、収益も上がりやすい。

幸せになるゴール設定をしよう

「起業したいです」と相談に来る方はたくさんいらっしゃいましたが、どうして起業したいんですか？　とお聞きすると、

- とにかく会社を辞めたい
- 収入を上げたい
- このアイデアを形にして世の中の役に立ちたい
- 自由な時間を増やしたい

というように、さまざまな答えが返ってきます。

先ほどの個人の特性分析ともリンクするのですが、

「自分にとっての幸せって何だろう？」

と、世間の一般論はいったん頭から外して、自分のことを考えてみてください。


人によって、目指す収入も、好きなライフスタイルもさまざまです。

ここをしっかり分かっておかないと、

「せっかく起業したのに、幸せを感じられない……」

という状態になってしまいます。

仕事は、幸せになる手段であり、人生のパーツの１つだと私は考えます。


「自分にとっての幸せ」を明確にしておくことで、幸せなゴール設定ができ、ビジネス構築が良い方向に進みます。

ゴール設定がないと、まずどこに向かったらいいのか分かりません。そして、自分にとって幸せでないゴール設定をしてしまうと、どんなにがんばっても幸せを感じられず、途中で燃え尽きてしまいます。

得意なこと、好きなこと、世の中から求められていること、そしてそれが自分の幸せなライフスタイルにつながっていること。

このあたりがしっかりつながってくると、とても幸せなビジネスモデルが完成します。

なので、まずは自分の特性をしっかり理解してみてくださいね。

人間関係がうまくいけば、ビジネスもうまくいく

どんなお仕事であっても、どこかで人と関わります。

最初の契約も、最終的にお金が発生するのも人と人の間だと思います。

その際に最も大切なのは、**「相手の感情を理解すること」**です。

同じ日本に暮らしていたとしても、１人ひとり価値観はさまざまです。

人によって好きなもの、嫌いなものは変わってきます。

人は思わず、「自分の好きなものは相手も好き」だと思ってしまう傾向があります。

売れないセールスマンが、「こんなにいい商品なのに、どうして売れないんだろう」と悩むのも同じ思考です。

とにかく、**「相手と自分は全然違う」ということをまずしっかり理解してください。**

そしてもう一歩進んで、**相手が好きなもの、嫌いなものを理解しようと努力してみてください。**

これは想像ではなかなか分からないので、**会話の中でどんどん質問して、相手に興味を持つことがとても大切です。**

次ページの〈相手を理解するワーク〉を埋めるつもりで質問するといいですね。

人は、自分のことを知ろうとしてくれる人に好意を持ちます。

もちろん、初対面で突然、プライベートなことをたくさん質問するのはおすすめできません。

まずは着ているものや持っているもの、そういったところから観察して、相手の興味のありそうな質問をしていくことをおすすめします。

先ほど、自分の特性を理解するワークをご提案しましたが、今度は、相手のことを理解するワークをやってみてください。

いざ書こうとしてみると、身近な人のことでもよく分かっていないことがあります。

〈相手を理解するワーク〉	
相手の好きなことは何ですか？	
相手の嫌いなことは何ですか？ （できればあまりやりたくないこと）	
相手の得意なことは何ですか？ （人から褒められることや、長くやっていて苦じゃないこと）	
相手の苦手なことは何ですか？ （時間がかかることや、面倒だと感じること）	
相手が今までやってきたことは何ですか？ （仕事でも趣味でも○）	
何を提供すると喜びますか？	

記入例〈相手を理解するワーク〉	
相手の好きなことは何ですか？	和食、お酒、カラオケ
相手の嫌いなことは何ですか？ （できればあまりやりたくないこと）	返信が遅い、仕事が遅い
相手の得意なことは何ですか？ （人から褒められることや、長くやっていて苦じゃないこと）	営業活動
相手の苦手なことは何ですか？ （時間がかかることや、面倒だと感じること）	分かりやすく説明すること
相手が今までやってきたことは何ですか？ （仕事でも趣味でも〇）	営業、会食での人脈形成
何を提供すると喜びますか？	素早い返信、会食のセッティング

たとえば、お肉が好きな人に「美味しい焼肉屋を見つけたから行かない？」と誘えば、一緒に行ける可能性が高いですよね。

でも、お肉が苦手な人にその誘い方をすると、断られる可能性が高くなります。

相手のことを理解することで、スムーズに人間関係を築くことができ、ビジネスもうまくいくようになります。

このあたりはサラリーマン起業基礎クラスでもお教えしている内容で、すべてお伝えしようと思うと長くなってしまうのでこの辺にしておきますが、「相手が喜ぶことは何だろう？」と、いつも考えてみてくださいね。

スモールスタートから始めよう

これは大きな会社に勤めていらっしゃる方にとても多いのですが、「キレイなオフィスを借りて、キレイなホームページをつくって、オフィス機器を揃えて、従業員を雇って起業しなければいけない」と思っている方、いらっしゃいませんか？

人は、自分の知識・経験からしか想像できないので、起業＝大企業と思ってしまうようです。

実際、そのように起業する方はほんのひと握りです。

大規模な起業ができる方は、すでに成功されていて2社目をつくるというような、資本力のある方だけと言っても過言ではありません。

私の話は前述しましたが、**今は１人で、オフィスも借りずに、パソコン１台で起業できる時代です。**

そのような人がまわりにいないとなかなかイメージできないかもしれませんが、カフェでパソコンを開いて、ＷＥＢ会議をしている人を見かけることも最近は増えたのではと思います。

もちろん、店舗型のビジネスも、うまくいくモデルはたくさんあります。

ただ、初期費用がやはりかかってきますので、自己資金を貯めておくか、融資を受けられるような事業計画書をつくるなど、工夫が必要になります。

シェアオフィスもなく、スマートフォンもなく、ノートパソコンも気軽に持てなかった時代は、「起業するなら店舗を持つのが当たり前」といった風潮でした。

また、会社を設立するにも、３人以上・資本金１０００万円以上が必要という、高い壁があり、「起業といえば一世一代の大勝負」でした。

そのイメージがまだ残っているように感じますが、今はパソコン1台でいろいろなことができますし、1人で資本金1円でも会社設立ができるようになりました。

国も、終身雇用制度が終わり、人口減少により年金制度も以前とは大きく変わってしまっていることから、起業を後押ししてくれています。これは、「起業してがんばってくれないと、国は定年後の面倒まで見れないよ」というメッセージです。

会社設立にかかる費用も、資本金額が少ない会社は、以前よりさらに安くすむようになりました。パソコン1台のひとり起業でしたら、本当に簡単に、気軽にできるようになっています。

最初から大きい起業をしなくても大丈夫です。

低リスクのスモールスタートで、しっかりビジネスを学びながら資金を貯めて、時代に合わせて次の事業を始めていくことをおすすめします。

起業に正解はない！

「このビジネスモデルだと、○○しなきゃいけないですよね」
「あの会社もやってるし、○○すべきですよね」

起業の相談の際、このような発言をされる方が非常に多くいらっしゃいます。

どうしても、今までの経験から「こうあるべき」「こうすべき」という決まりというか制限、思い込みを持ってしまっている方が多いんだなと、毎回相談に乗りながら感じています。

起業のいいところは、正解がなく、自由なところです。

それを不安に思う方もいるので、もちろん、ある程度のセオリーというか、成功パターン、ビジネス知識はコンサルティングの際にきちんとお教えしています。

ただ、**新しいビジネスアイデアが生まれるのは、想像から**だと私は思っています。

たとえば、スマートフォンは、「こうあるべき」という発想でつくられたでしょうか？

「こんなものがあったらいいな、便利だな、つくりたいな」

という想像力からつくり出されたのではないでしょうか。

これは、どのビジネスにも言えることです。

普段の生活の中からでも、

「こんなサービスあったらいいな、役立ちそうだな」

こんな感覚から、ヒットするアイデアは生まれてきます。

「こうしなきゃ、ああしなきゃ……」という義務ではなく、

・こうしたい！
・こうなったら面白そう！
・こうなったら便利だな！
というように、自由に発想してみてください。

そして、自分のライフスタイルについても、同じように「こうなりたい！」と自由に想像してみてください。

好きなことを好きなようにビジネスにして、そして自分の人生を好きなようにカスタマイズするための手段として、起業はとてもおすすめです。

テストのような○×の世界ではなく、すべて○です。

失敗も、そこから学べば成功の種になります。

自由に想像して、楽しく起業していきましょう。

新しいビジネスアイデアは想像力が決め手

「こうあるべき」「こうすべき」ではなく、

「こうしたい！」「こうなったら面白そう！」

「こうなったら便利だな！」という自由な発想を大事にしましょう。

普段の生活の中から
「こんなサービスあったらいいな」
「役立ちそうだな」
という
自由な発想をする！

起業に正解はありません。
サラリーマンの制限や思い込みを
取っ払いましょう！

サラリーマンと起業家のマインドの違いとは？

(1) 解決思考が大切

私がＯＬだった頃、何か問題が起こった時、疑問が出てきた時に思っていたことは、「まず上司に聞かなきゃ」でした。

とにかく「報・連・相」を大切にと思っていましたし、上司に叱られることや失敗が一番怖かったのです。

なので、自分の意見よりは上司の意見といった感じで、自分で考えることは少なく、思考停止していたなと、今では思います。

起業しようと思ってたくさんの経営者の方々にお話をうかがった時に、とにかくサラリーマンと違うと感じたことは**「何があっても解決するという姿勢」**でした。

起業して事業を始めると、予想どおりに進まないことはたくさんあります。

その時に、じゃあどうする？　と、とにかく解決していくしかありません。


言い訳をしても仕方ないですし、誰のせいにもできません。

事業は自己責任なので、誰も、何もしてくれません。


「○○のせいだし……」

とか、

「○○だからできない」

では事業が止まってしまうので、

「どうしたらいいんだろう？」と、とにかく自分で考えていきます。


この考え方のクセができてくると、物事がどんどん前に進みます。

起業家マインド

①解決思考を持つ

- 何があっても解決するという姿勢
- 言い訳しない
- 予想どおりにいかない時、
「どうしたらいいか？」と考える

何か問題がおきた時

解決思考を、ぜひ意識してみてください。

上司の顔色をうかがう必要はないですし、正解はないので、解決する選択肢をたくさん考えて自分の進みたい方向へ進んでいってください。

それができるのが起業で、とても楽しいと私は思っています。

(2) 自分に自信を持つ

「起業には興味があるけれど、自分に自信がありません……」

このようにおっしゃる方が、よくいらっしゃいます。

私も起業コンサルをお願いされる際に、ここからのスタートの方が多いです。

経営者はサラリーマンとは全然違うと、まるで別世界のように遠く感じていらっしゃる方も多いと思います。


でも実際のところ、みなさん最初から自信があったわけでも、知識があったわけでもなく、勉強しながら努力してきただけで、元々は同じサラリーマンだった方ばかりです。

では、なぜ経営者は自信がついていくのでしょうか？

それは、１つひとつ自分自身でつくり上げていくことで、自信が積み重なっていくのだと私は思います。

上司に言われたからとかではなく、とにかく自分で決めて、前に進んでいく。その都度、勉強と努力をしていくことで、自分の成長を感じる。

それによって、どんどん自信がついていきます。

もちろん失敗もあります。でもそれも、誰かに叱られるとかではありません。

すべてが次の成功につながっていきます。


大きな失敗を予防したい方や、失敗した際のメンタルの切り替えに不安がある方は、最初はコンサルタントなどと一緒に事業を進め、解決のアドバイスをもらえる環境をつくることをおすすめします。

部活でも、受験の時も、新入社員時代もそうだったと思いますが、なんでも先輩がいれば安心です。

起業家マインド

②自信を持つ

- 自分で決めて、前に進む
- 勉強と努力で、成長を感じる
- 必要があれば、専門家の手を借りる

自信の持ち方

自信がない…
自分で決めて自分でやることで自信がつく
サラリーマンマインド
起業家マインド

サポートしてくださる方たちといい関係を築いていくことで、その後も安定したビジネスを行えます。

起業の先輩たちはみんな失敗を乗り越えているので、優しい方が多いです。どんどん力を借りてくださいね。

(3) ポジティブ思考を持つ

私が起業前の方たちとお話ししていてよく思うことは、「どうしてそんなにネガティブで後ろ向きに、物事を考えてしまうんだろう？」ということです。

もちろん、ポジティブで前向きになりたいと思っている方が多いのですが、なぜか後ろ向きな思考になってしまっています。

ポジティブと聞くと、「なんとかなる！」という思考だととらえる方も多いかと思いますが、**何も準備していない、何の根拠もない自信も困るので、そこはバランスが大事です。**ネガティブは決して悪い面ばかりではないんです。

人間の脳は、自分の生命を守るために元々保守的にできているので、何か始めようとする時に、必ずブレーキをかけて危険予測をします。

自動車の免許講習に行ったことのある方は分かると思うのですが、「もしかしたら歩行者がいるかもしれないから速度を落とそう」とか「ミラーに映らない自転車がいるかもしれないから、目視でも確認しよう」など、安全に運転するためには危険予測が必要となります。

危険運転よりは安全運転をしよう！　と脳は考えるので、人生も運転と同じだと考えてください。

ただ、上記の例から分かると思うのですが、「歩行者がいて危ないこともあるから、運転するのをやめよう」となってしまっては、車に乗ることもできず、行きたい場所に行くことができません。

危険予測をした上で、技術を磨き、解決していく必要があります。

運転の例で言えば、教習所でしっかり習ったり、免許を取得してからもいきなり1人で運転するのではなく、家の近所で誰かにアドバイスをもらいながら練習したりするのも1つの解決策です。

ネガティブ思考はみんな同じですが、そこからどう前に進むかで、大きな差がつきます。

先ほどの、解決思考とも関連しますね。

ポジティブ思考の人たちは、ただ単に楽観的なのではありません。

「これで大丈夫！」

と言い切れるまで、努力したり、良い方法を探しているだけです。

解決策がずっと見つからず、ネガティブな思考から抜け出せない時は、すぐ人に聞いてください。

自分の中に解決策がない場合は、悩んでいても仕方ありません。その時間がもったいないので、とにかく答えを持っている人に聞きましょう。

起業家マインド

③ポジティブ思考を持つ

- 危険予測をした上で、技術を磨き、解決に向かう
- 「これで大丈夫！」と言い切れるまで、努力したり、良い方法を探す
- 解決策が見つからず、ネガティブな思考から抜け出せない時は、人に聞く

ポジティブ思考

これを意識していただくと、ネガティブな思考はどんどん消えていきます。
私自身も、答えを持っている人を探して、近くにいてもらうことがとても大切だと思っています。

１人ではみんな行き詰まってしまいます。
起業はテストではないので、人に聞いてもまったく問題ありません。
最初はどんどんまわりに頼って、成長していきましょう。

⑷ 収入は青天井。もっと自由になんでもやっていい！

先ほどもお話ししましたが、人間の脳はどうしてもネガティブになりがちなので、起業してうまくいかないことを先に考えてしまいます。

「仕事を辞めたら収入がなくなってしまう」
「うまくいかなかったらどうしよう」
「自分にできるんだろうか」

など、ネガティブ思考はできない言い訳をどんどん探してきます。
でも、ちょっと考えてみてください。

- **今の会社のお仕事で、どのくらいの年収まで上がりますか？**
- **好きなお給料を自分から提示できますか？**
- **仕事を早く終わらせられたら、好きな時間に帰れますか？**
- **週4日、休むことができますか？**
- **平日に旅行に行ったり、友達とゆっくりランチを楽しんだりできますか？**
- **定年がなく、仕事をすることができますか？**
- **好きな同僚、好きなクライアントとだけ仕事ができますか？**

いかがでしょうか？
ちなみに、前記の内容は、私がOLだった頃、不満に思っていたことです。
給料は全然上がらなかったし、好きな旅行にも行けなかったし、嫌な仕事もたくさんありました。
意地悪な先輩に泣かされたことも多々ありました。
忙しくて、ランチを食べる時間もない日もありました。
残業代も出ず、終電まで働く日もありました。
友達との予定があるのに、クライアントの都合で休日出勤になる日もありました。
学生時代のように、自由に旅行に行けなくなってしまいました。

もちろん最初の数年は、いろいろ学ぶことも多かったですし、仕方ないと思いましたが、冷静に考えた時に、「これが一生続くの……?」と愕然としたことを覚えています。

そこから、起業して自分の自由な人生を楽しむために、ビジネスの勉強に本気に取り組みました。
もちろん、その時あきらめる道を選び、なんとなくＯＬを続けることもできましたが、あきらめなくて良かったと、本当に思います。

「あきらめたらそこで試合終了ですよ」

これは私の大好きな『SLAM DUNK（スラムダンク）』というマンガの中の、今にも負けそうな試合で、監督が選手にかけた言葉です。

私は元々、面倒くさがりな性格なので、起業準備に疲れたり、さぼりたくなった時にいつもこのセリフを自分に言い聞かせていました。

今でも、急ぎの仕事が入った時など、よく言い聞かせています。

平均年収とか、先輩の年収なんて関係なく、**好きなだけ収入を得ることができ、好きな時に旅行に行けるワークスタイルは本当に楽しいです。**

うまくいかないかも……と、起業のマイナス面を見るだけでなく、ぜひプラス面も見てみてください。

そして、起業はいくらでも方向転換できます。

起業家マインド

④好きなだけ稼げる思考を持つ

- 新規事業の追加など、自由にいくつも稼ぐ道をつくる
- 収入は青天井！

収入について

転職となるとそれなりに大きな変化が伴いますが、起業の場合は、新規事業の追加はいつでもできます。

いくつ事業をやってもいいですし、時代に合わせて臨機応変に対応していくことができます。

会社の事業内容にもよりますが、今回のコロナ禍のような想像もしなかった出来事により、大きく事業が傾くことがあります。

その際、会社の業績悪化に伴い、自分の責任でなくとも職を失った人たちの相談もたくさん受けてきました。

会社員は必ず安全というわけではありません。

起業して、いくつかの事業を手掛けるようにできれば、1つの事業が社会情勢などで傾いても、他の事業で収入を得ることができます。

実は起業したほうが、収入が安定するのではないかなと今では思っています。

起業は本当に自由で、収入も青天井です。

起業すると、

・自分の好きなこと、得意なことをどんどん伸ばして収入を増やすことができる。
・人の力を借りることで、どんどん成長できる。
・社長同士のつながりがどんどん増え、いい出会いが増える。

起業のプラス面も、ぜひ見てくださいね。

第4章

月100万円を生み出す起業ロードマップ

さて、「実際何から始めればいいの?」と思っている方もいらっしゃると思いますので、起業ロードマップについてお話ししていきたいと思います。

第4章のポイント

月100万円を生み出す起業ロードマップ

ステップ1　あなただけの魅力を見つける

↓

ステップ2　お客様の求めているものを知る

↓

ステップ3　世の中のトレンドをキャッチする

↓

ステップ4　商品が決まったら、計画を立てる

↓

ステップ5　マーケティング「認知」→「信頼」→「販売」

↓

ステップ6　発信する

↓

ステップ7　販売までの流れを整える

何をやればいいんだろう…。魅力ある商品をつくるには？

「月１００万円」としたのは、最初、私もなんとなくそこを目標にしていましたし、実際それくらいの収入があると、余裕が出てくるかなと思っているからです。

人によって、起業してすぐにそこへたどりつく方もいますし、半年後や1年後の方もいます。

でも、とにかく**計画がしっかりしていれば、あとはコツコツ実行するだけ**なんです。

起業するにあたり「何をするか」を気にされる方が多いですが、実は「計画」がとても大切です。

なんとなく最初は、どれが稼げるかという基準でばかり考えてしまったり、よくSNSなどで見かける「ラクして稼げます」といった広告が気になってみたり、情報が多いからこそ、悩むことも多いと思います。

まずは「自分に合っているか」がポイントです。

> 自分の適性を知って、どの方向性で起業し、どのような計画で進めていくか決める。

これが最初の大まかな流れです。
では、もう少し細かくお話ししていきますね。

ステップ1　あなただけの魅力を見つける

起業の第一歩として、まずは自分の適性や、特徴を知ることが大切です。

実はみなさん、自分のことが一番分かっていません（私も同じでした）。

第４章の自分の特性を理解するワークのところでも書きましたが、自分は何が好きで、何が苦手なのかが分かっていないと、あまり好きでもなく得意でもないことで起業してしまい、行き詰まってしまうことがあります。

「自分の好きなこと、得意なこと、世の中にニーズがあること」

67ページの図のように、この３つが重なっているところで起業すると、非常にスムーズです。

そこを見つけることから、始めていきましょう。
あなたの魅力がきちんとお客様に届く分野を見つけることが、最初の第一歩です。

たとえば、あるクライアントさんは、営業成績がとても優秀で、いつも上位の成績をあげていました。真面目な方だったので、常に営業ノウハウやコミュニケーションについての本を読み勉強していました。それにより、さらに成績が上がっていきました。

しかし、他の営業マンの方はとにかくアポイントを取るのに必死で、学ぶための時間を取れず、なかなか成績が上がっていきませんでした。

そこで、成績優秀なそのクライアントさんは、自身が学んで実践し、結果の出た営業ノウハウをみなさんに教えるサービスを開始したところ、人気となり、セミナーを開催するとすぐに満員になるほどでした。

その方にとっては当たり前のことを実践していただけで、それがサービスになるとは思わず、そして世の中にニーズがあるとも思わなかったとのことです。

自分の分析を自分でするのは難しいことが多いので、ぜひまわりの意見や、プロの助けを借りてください。

１人だと、勝手な思い込みで進んでしまうことがあります。

だんだんと自分を客観的に見ることができるようになると思いますが、最初はなかなか難しいので、まわりの手を借りましょう。

ステップ2
お客様の求めているものを知る

自分の好きなことや得意なことが分かったら、**そのサービスを提供したら喜ぶであろうお客様について分析**していきます。

いいサービス・商品であっても、喜んでくれるお客様がいらっしゃらなければビジネスにはなりません。

適正な価格や、店舗ビジネスであれば立地も含めて、検討する必要があります。

ビジネスでよく言われるのですが、

「美味しい寿司を握るよりも、まず行列をつくれ」

というものがあります。

どんなに美味しいお寿司でも、１人で、まったく誰にも知られることなく握っていたら、それは趣味であって、ビジネスではありません。

お客様のニーズをしっかり分析して、それに応えるような商品を提供する必要があります。自分ではいい商品だと思っていても、お客様にとっては違うかもしれません。

私の友人も、自分ではいいと思ってつくった化粧品がまったく売れなかったことがあります。実際いい商品ではあるのですが、他の会社のものと差が分かりづらく、お客様の求めている価格帯ではなかったためです。

このあたりは、事前に自分のお客様として想定している方たちをリサーチし、インタビューすることがおすすめです。

そうすると、大きな失敗はなくなります。

お客様あってのビジネスなので、ここも、思い込みにならないよう注意しながら進めてくださいね。

お客様を分析する

お客様がどのようなものに興味があるのか、どのような悩みがあるのか、どのような商品にお金と時間を使っているのかをリサーチしましょう。

①ターゲットとするお客様を決めて、
どんな人かを書き出す

・年齢　・性別
・住んでいる場所
・生活のリズム　など

②そのお客様が求めている商品の分析をする

・人気のあるSNS、動画、雑誌、商品のリサーチ
・本人へ直接インタビュー

アンケートやインタビューを
行うことによって、
正確さが増すのでおすすめです

ステップ３

世の中のトレンドをキャッチする

どうやら世の中には「流行り」というものがあるということは、みなさんご存じだと思います。

少し前ですと、タピオカブームがありましたよね。どの店舗もかなりの売上だったようです。

でも、今はどうでしょうか？

渋谷にたくさんあったタピオカ店は、ほとんど姿を消してしまいました。

早くにトレンドをキャッチしたお店はかなり儲かったと思いますが、ちょっと遅れた店舗は違ったと思います。

洋服も、食も、メイクも、どんどん流行が変わっていきます。
その中で、今はこの流れなんだなということをキャッチできるかどうかは、ビジネスで大きな差となります。

常に世の中の流れをチェックして、バリエーションや価格帯、魅せ方を変えていくことで、売れ続けるベストセラー商品ができます。

今までは消費者側だったと思いますが、これからは販売者側として、世の中をチェックしてみてくださいね。

時代遅れでなく、きちんとトレンドに合った商品を打ち出せれば、ビジネスは軌道に乗ります。

ステップ４
商品が決まったら、計画を立てる

自分の適性を知って、お客様の分析をして、どの方向で起業するか決まったら、どのようにお客様にアピールするか計画を立てていきましょう。

まずは商品が売れるまでの順序を理解することが大切です。

ワークとして自分が何か商品を買った時、「どうしてその商品を買ったのか？」を考えてみてください。

- どうしてそのお店で食事をしたのか？
- どうしてその洋服を買ったのか？
- どうしてその美容室に行ったのか？

・どうしてそのテレビを買ったのか？

など、理由を探ってみると、だんだんとお客様の気持ちを理解できます。
たくさんの商品・選択肢がある中で、わざわざお金を払って購入するわけですから、そこには実はきちんと理由があります。

最近買ったものや、行った飲食店を思い出しながら、どうしてそれを買ったのかな？ どうしてそこを選んだのかな？ どこが良かったのかな？ と考えて、書き出してみましょう。

そして、自分のライバル商品を分析してみましょう。どのようにライバルに差をつけるかも大切な視点です。

どこが人気の秘密なのかは、広告内容や、お客様の感想などから分析することができます。お客様の見ているポイントが分かれば、そこに力を入れればいいので、ライバル商品に勝てる可能性が高くなります。

記入例〈どうしてその商品を買ったのか？〉	
どうしてそのお店で食事をしたのか？	インスタで見かけたから、会社に近いから
どうしてその洋服を買ったのか？	デザインが好き、安かった、近くで売っていた
どうしてその床屋・美容室に行ったのか？	サイトの口コミが良かったから、友人に紹介されたから
どうしてそのテレビを買ったのか？	色が部屋に合っていたから、いろいろな機能がついていたから
どうしてこの家・部屋を選んだのか？	営業マンの感じが良かったから、内装が好きだったから
どうしてこの車を選んだのか？	乗り心地が良かったから、燃費がいいから
どうして…	

ライバル商品の分析ステップ例

ライバル商品として何があるかをリサーチする

↓

どのような会社が、どのようなサイトをつくっているかを見る

↓

どのような広告を出しているかをピックアップする

↓

数社比較し、どこが違うか？　売れているポイントを探す

↓

自分との差別化を考える。どこを打ち出せば勝てそうかを考える

ステップ5
マーケティング「認知」→「信頼」→「販売」

お客様に購入していただくまでの流れが、いわゆるビジネスでいうところの「マーケティング」です。

マーケティングには、３つのステップがあります。

まずは**「認知」**です。

とにかく、自分の商品を知ってもらわないと始まりません。

知ってもらうために、企業はテレビCMを放送したり、インターネット広告を使ったり、新聞や電車の広告を使ったりと、さまざまな方法を駆使しています。

まずは、どこかで聞いたことがあるな、見たことあるななど、お客様がなんとなく知っている状態をつくることがスタートです。

次が**「信頼」**です。「ファンをつくる」でもいいです。

なんとなく知っている状態から、この人（商品）は信頼できるなとか、この人（商品）が好きだなという状態に持っていきます。他の商品ではなく自分の商品を選んでもらえるように、お客様にしっかり魅力を届けるステップです。

ここは、ブランディング（魅せ方、写真などのビジュアル）や、ライティング（文章の書き方や、選ぶ言葉のチョイス）が重要となります。

自分でいいと思う内容を伝えるというよりは、お客様にいいなと思ってもらえるような内容を伝えることが大切です。

ここができれば、あとは**「販売」**です。

信頼されたり、ファンになってもらっていると、もう販売というよりは向こうから「買いたい」という状態になっていますので、営業という感覚ではありません。

マーケティングを理解すると、プッシュ型（営業電話など）ではなくプル型（お客様から買いたいと言われる状態）のビジネスとなり、お互いに幸せな状態となります。

この流れを理解して、実際にどのように進めていくのかを計画していきましょう。

マーケティングの３つのステップ

①認知	まずは、自分の商品を知っていただく
②信頼	この人・この商品は信頼できると思っていただく
③販売	「買いたい」という気持ちから買っていただく

↓ ①から②、②から③へ

この流れを理解して進めていくと、プッシュ型（お客様に「買ってください」と言う状態）ではなく、プル型（お客様から「買いたい」と言われる状態）のビジネスとなります。

お互いに幸せな関係を築けます。

ステップ6 発信する

いいものをつくっても、良さを伝えなければ売れません。

「認知」してもらうには、とにかく発信していくことが大切です。

SNSでもいいですし、ブログや動画（YouTube）を活用することもできます。

小冊子、チラシ、新聞や雑誌掲載、テレビ出演など、さまざまな方法が考えられます。もちろん直接、人とお会いして、お話ししていくこともおすすめです。セミナーやイベント開催、交流会の参加などリアルの人脈づくりも大切です。

なるべく多くの媒体に多くの情報を載せ、たくさんの人に知っていただくことが重要です。自分の商品を欲しそうなお客様が、どの媒体を利用しているのか、リサーチしてみてください。

例えば、年配の方々に向けたサービスの場合、ＳＮＳを活用するよりは、チラシや雑誌、新聞、ＴＶのほうがよいのではと考えられます。

逆に、10～20代向けの場合は、ＳＮＳや動画のほうが効果がありそうです。

インターネットのおかげで、誰でも発信がカンタンになりました。

ぜひ、便利なものをどんどん活用して、ご自身のビジネスに生かしてください。

発信の方法

SNS
Twitter　Instagram
Facebook　TikTok
YouTube　ブログ
など

紙媒体
チラシ　はがき
パンフレット
ショップカード
ポスター　など

メディア
雑誌　新聞
テレビ　ラジオ
など

広告
新聞広告　Google広告
SNS広告　LINE広告
広告メディアへの掲載
など

自分がターゲットとする
お客様には何が効果的かな？

自力で無料発信するか、
お金をかけて広告を出すか……

どうしよう？

ステップ7 販売までの流れを整える

まずは認知を広げることが大切ですが、ただ知ってもらうだけでは販売までつながりません。

「顧客導線」を整えることが大切です。

知ってもらった後に、どのように信頼を得て、ファンになってもらうのか？

ここを考えて、ブランディングやライティングを整えます。

また、最終的な販売は対面にするのか、ネット注文にするのかなど、流れを決めていきます。

ここは、その商品・サービスによって向いている方法が変わってきます。

また、ご自身の得意・不得意にも左右されます。

販売までの流れ

例:エステサロン

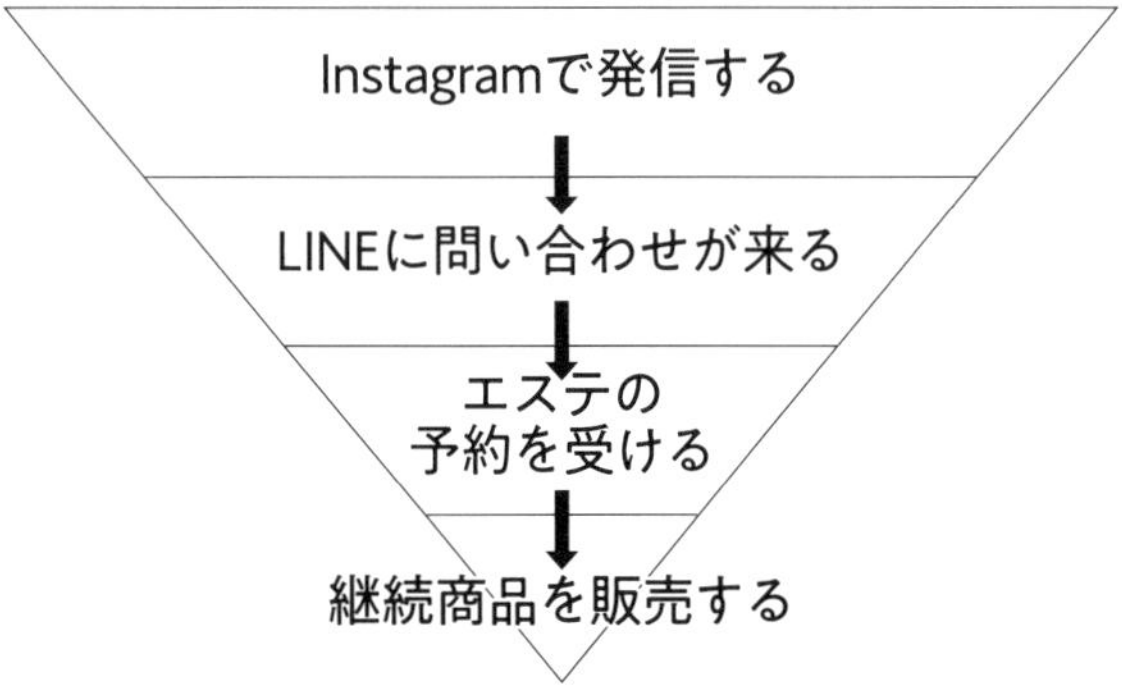

例:営業スクール

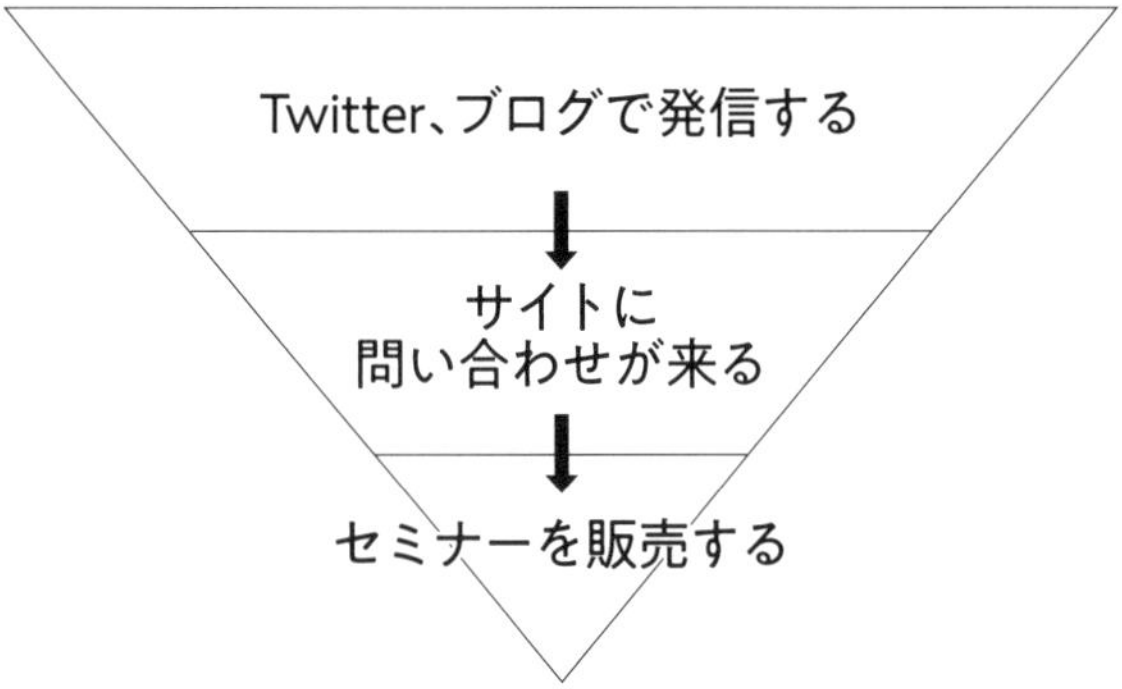

最初は、参考になる商品やサービスを見つけて、マネすることから始めることをおすすめします。

そこでだんだんと、「あ、この流れいいな」とか、「この流れは自分に向いているな」など、分かるようになってくると思います。

マーケティングもトレンドがどんどん変わりますし、新しい手法も生まれてきます。プロの力も、ぜひ活用してくださいね。

営業が苦手でも大丈夫！欲しいという人とマッチングするだけ

「営業・セールスが苦手なんです」とおっしゃる方が多くいます。

元々、私も事務職なので、その気持ちはとてもよく分かりますし、起業する時にネックだった部分です。

自分に営業活動ができるのだろうか……と不安に感じていました。

ただ、ビジネスを学ぶうちに、マーケティングがしっかりできていれば、セールスという感覚はほとんどいらなくなると分かりました。

「すぐれたマーケティングはセールスを不要にする」

という、ピーター・ドラッカーの有名な言葉があります。セールスに不安がある方は、ぜひマーケティングを学び、実践して、どんどん実力をつけることをおすすめします。

最近では、セールスではなく「マッチング」だと私は感じています。

「砂漠で水を売れば高くても売れる」という例え話がありますが、本当にそのとおりで、**販売は「必要としている人にただ届けるだけ」という感覚です。**

セールスという感覚はなくなってきます。

セールスに対して苦手意識があっても、安心してください。

自然と売れるようになっていきます。

起業すると、商品を売りたいとか、稼ぎたいとか、そういったことばかり考えてしまう方がいらっしゃいます。

もちろん収益は大切です。数字をしっかり計画することも大切です。

でもまずは、お客様に喜んでいただくということを第一に考えてください。

「お客様目線」がとにかく基本で、すべてです。

お客様の必要としているものを届けるという感覚を、ぜひ大事にしてください。

「収入はありがとうの数に比例する」

私は起業初期のころ、ビジネスの先生にこう教えてもらいました。

まわりの人に、どうしたらありがとうと言ってもらえるか、喜んでもらえるかを常に考えていると、良い人間関係に恵まれ、幸せなビジネス構築ができます。

そして、喜んでもらえると紹介していただけるので、どんどんその輪が広がっていきます。

ぜひ、まわりのありがとうを増やしていってくださいね。

起業で大切な２つのこと

①「欲しい人とマッチング」という感覚

「売りたい」「稼ぎたい」と考えるより、必要としている人に、自分の商品・サービスをただ届けるだけという感覚を持ちましょう。

② お客様目線を忘れない

お客様に喜んでいただくということを第一に考えましょう。
収入は「ありがとう」の数に比例します。

第5章

リアルな起業成功ストーリーを公開！

この章では、起業して成功した方の、よりリアルな事例をご紹介いたします。
このように詳しい起業の話は、なかなか聞けないと思います。
ぜひ、参考になさってください。

第５章のポイント

●成功事例

①30代営業サラリーマンが起業して、**売上1.5倍！**

②50代大手企業サラリーマンが起業して、
不動産投資の塾運営で成功

③エステでアルバイトをしていた女性が、
独立してサロン経営で成功

④元バンドマンが、**年商億超え！**

⑤学校の先生が好きなことで起業して、
すぐに目標月商達成！　補助金も獲得

はじめはみんな初心者だった

起業している人は、元々、何か特別な人だったのでしょうか？

ここで、小学校の同級生を思い出してみてください。

そこに、すでに社長だったクラスメイトはいますか？

起業なんて言葉を使っていたクラスメイトは、なかなかいなかったと思います。

その後、だんだんと自分の将来に向けて勉強したり、どの道に進むか考えたりする中で、起業という選択肢を知り、その道を選んだというだけです。

最初からなんでもできたわけではなく、学び、実践し、失敗しながら進んできただけで、それは就職してから研修を受けて、仕事やマナーを覚えてきたステップとまったく同じです。

社長になる人は特別な人で、スムーズに成功してきたようなイメージを持つ方も多いと思います。

でも、そんなことはなく、起業の道のプロになるべく、学び、工夫してきただけです。

私が250社以上の会社設立に関わってきて思うことは、天才的な人・特別な人はほとんどいないということです。**元々、みなさんふつうの真面目なサラリーマンです。**

自分が起業するとは思わなかったと、おっしゃる方も多いです。

サラリーマン生活に疲れたり、リストラされたり、出世争いに巻き込まれたり、転勤によって家族と離れてしまったり、とにかく会社を辞めたい！　という理由で起業する方も多かったです。

とはいっても、今ひとつイメージできない方も多いと思いますので、サラリーマンからどのように起業して、そこからどのように歩んできたのか、私のクライアントさん何名かにお願いをして、インタビューさせていただきました。

失敗も成功も含めて、リアルな起業ストーリーですので、何か参考になれば嬉しいです。

サラリーマンからの起業ストーリー

【１人目】村岡宏樹さん（BLuE SKY株式会社代表）

村岡さんとの出会いはビジネス交流会でした。

30代後半の方で、10年間、金融商品の営業の仕事をがんばっていらっしゃいました。

営業成績も良く、社内表彰され、仕事に生きがいも感じているようでした。

ある日、実は最近このまま働いていていいのかどうか迷っていて、起業したいと思っていると相談を受けました。

理由は、10年間、常に時間と業績に追われていることに気づき、どんなにがんばっても結局会社に搾取されて、労力に見合った収入は得られないと感じたとのことでした。

また、お子さんが２人いるので家族と過ごす時間を増やしたいということと、地元でずっとサッカーをしており、その仲間と仕事をして、みんなで豊かになれたらと思ったそうです。

家族、友達想いの村岡さんらしい理由だな、と思いました。

もちろん収入面や、自分にできるのか不安はあるけれど、私や他の経営者の方と関わるうちに、1人でも独立して活躍できるんだと勇気をもらったとおっしゃっていました。

起業についてはまったく分からないので、まずは勉強して準備したいとのお話だったので、会社の退職時期を決め、そこに向けて半年間の定期的なコンサルティングを開始しました。

最初に、村岡さんの今までのスキルや経験の棚卸をしていきました。だいたいの方がそうなのですが、**自分では当たり前だと思っていたことが、実は他の人から求められる知識やスキルであることが多い**のです。

自分のことを客観視することは本当に難しいんだなと、いつも感じています。

また、自分以外の職種の人と関わる機会が少ない方が多いので、自分のスキルがどこで生かせるのか、マーケット全体を見て探すことが重要です。

村岡さんの場合は、営業のノウハウや金融知識が自分の強みであり、売りであると気づいたので、まずはそこを中心にビジネス構築をすることにしました。

強みが見えてきたら、どう商品化してマネタイズ（収益化）するか考え、どのようなお客様に販売していくのか、セッションを進めます。

そこで、まわりの同じような子育て世代に商品を提供したいと、村岡さんは考えました。

みなさん子育てに忙しく、目の前のことで手いっぱいな方が多く、あまり金融知識がないので、まずは知識を提供し、資産運用を見直し、その人に合った運用プランをご提案することにしました。

その結果、本当にその方に合ったご提案をすることができるようになり、お客様に喜んでいただくことにより、ご紹介が生まれ、ビジネスが安定するようになりました。

村岡さんは、最初は元々の仕事の延長線上で起業しようと思っていたので、扱う商品も今までと同じ金融商品だけで考えていました。

ただ、**起業するといくつ仕事をしてもよく、いくつ商品を扱ってもいい**ので、他の商品も考えられますよとアイデアを出したところ、どうやら目からウロコだったようで、そこから取り扱う商品を増やし、幅広いご提案ができるビジネスモデルに切り替えました。

いくつか商品を検討したのですが、まずは村岡さんの営業知識・ノウハウを生かし、営業職の方の育成セミナーも行うことにし、私の提供している「伝わるセミナーテンプレート」に基づいたセミナーを構築しました。

その結果、**取り扱い商品の増加による売上アップはもちろんのこと、村岡さんのビジネス仲間の営業成績が上がり、さらに会社の売上もアップしました。**

以前、金融商品販売の仕事をしていた頃は、手帳のスケジュールが白いと不安になり、常にアポイントを入れていたようですが、今では家族との時間を楽しめるようになっています。

そして、**魅せ方（ブランディング）**についても考えました。

村岡さんには良いところがたくさんあるのですが、全然それを発信できていなかったので、まずはＳＮＳを活用しましょうとお伝えしました。

ご自身のスキルや強みは、残念ながらこちらが発信しないと伝わりません。

そして、伝え方も重要です。

何をどう発信していいか、分からないという方も多いと思います。

発信してはいるけれども、何も反応がなく、仕事につながらないという方もいるでしょう。

起業前

・時間と業績に追われている
・労力に見合った収入が得られない
・家族との時間が取れない
・好きなサッカーもできない

↓

起業後

・**売上1.5倍！**
・強みの金融知識を提供し、資産運用プランをご提案する仕事を始める。好評で**紹介が生まれる**
・強みの営業力を生かして「営業職の育成セミナー」を開催。**仲間の営業成績が上がる**
・家族との時間を楽しめる

ここでも、**自分を客観視することが重要**となります。

どのように発信すればきちんと伝わるのか、また、それぞれのＳＮＳの特徴や活用法もお伝えしたところ、最初は投稿することへのブロックもあったようですが、今では毎日投稿していて、ビジネスにつながるように活用されています。

ビジネスプランが見えてきたところで、いよいよ会社の設立に向け、会社名や目的の内容を決め、設立日を決めていきました。

私は仕事上、２５０社以上の会社設立をサポートしてきましたが、村岡さんは初めて会社を設立するので、最初はなかなか分からない注意点などをアドバイスさせていただきました。

そして無事に、サラリーマンを卒業し、ご自身の会社を設立され、村岡さんの新しい人生がスタートしました。

村岡さんからは、とにかく、自分の知識の範囲内だけでは思いつかなかったことばかりで、自分のスキルに合っているプランを一緒に考えてもらえたことがとても良かったとの感想をいただきました。

また、1人ではもしかしたらどこかでつまずいて、途中であきらめていたかもしれないが、良い相談者がいるとこんなに前に進むのかと驚いたとの感想もいただきました。

スポーツでも勉強でもそうですが、何か新しいことを始めようという時に、1人ではなかなか難しいのは起業も同じです。

先生やコーチがいれば、成功への道は近くなります。

村岡さんは元々サッカーをやっていたので、とにかくまずはコーチをつけようと、早くにご相談いただけたことが、スムーズな起業につながったのではと思います。

きちんと準備をしてから起業できたことが自信につながって、とても良かったとおっしゃっていました。

実は、村岡さんもすべてが順調にいったわけではありません。

起業を快く思わない前の会社の人と意見の相違があったり、いざ起業となると不安が大きくなったりと、起業準備中もいろいろと悩むことがありました。

それは、何か新しいことを始める際にみなさん同じように起こることなので、私としては「まったく気にしなくていいですよ」とお伝えしたのですが、ご本人にとっては初めてのことなので、いろいろ考えたと思います。

でも村岡さんの意思は固く、反対されてもチャレンジを続けたことで、今はとても幸せそうに過ごしていらっしゃいます。

村岡さんいわく、反対されても、自分がやりたいと決めたことだから意地があった。そして応援してくれる人たちの期待に応えたかったとお話しされていました。

1人で思い詰めず、コンサルを利用したり、先輩経営者とのつながりをつくられたことが大きかったようです。1人ではなかったので、悩んでも、「まぁ、なんとかなるよね」と起業をポジティブにとらえることができたとのことです。

しばらくたってから起業した感想を村岡さんに聞いてみたところ、とにかく時間が増えて良かったとおっしゃっていました。

以前の会社は朝礼があったり、何時に会社に行かないといけないなど制約があり、また会社への報告書類も多かったので、かなり時間を取られていたそうです。

今はわずらわしい報告業務もなく、生産性を上げればその分、自分の時間が増えるので、仕事へのモチベーションが高くなったとのことです。

自分の時間を自分でコントロールできるのは、ものすごく価値があり、起業のメリットだと思います。

私はよく、「起業すると『毎日が夏休み』みたいな生活になれますよ」と伝えているのですが、その意味がよく分かりましたとのことでした。

そしてなんと売上も、サラリーマン時代より1・5倍もアップし、とても喜ばれていました。

村岡さんは、起業してから時間が増えて売上もアップするという、ご自身の人生に素晴らしい変化を起こしています。家族と過ごす時間も増えたようで、いつも幸せそうなSNS投稿を拝見し、こちらも嬉しく思っています。

最初はなかなかうまくいかない方もいらっしゃいますが、村岡さんにスムーズに起業できた秘訣を聞いてみたところ、

①きちんと準備したこと
②１人で悩まず、起業の先輩に相談できる環境をつくったこと
③人を大切にし、とにかく前に進むこと

をあげていらっしゃいました。

シンプルですが、大切なことばかりだと思います。

私から見ると、村岡さんは自分の人生、そして家族・仲間の人生を良くするという「覚悟」があったなと思います。

他人（会社）に自分の人生を託すのではなく、自分自身で切り開こうとする覚悟があるかどうかは、起業の成功スピードに大きく影響します。

村岡さんから、これから起業しようと考えているサラリーマンの方にメッセージ

をいただきました。

起業する方へのメッセージ

結論として、起業はとてもおすすめです。

サラリーマン時代、やはり世の中の富裕層は、会社の「社長」という肩書を持っている方が多く、勤務ではなく自分で起業している人ばかりだと気づきました。

自分と家族の将来を考えた時に、やはりそっちがいいと思い、起業したいと思いました。

もちろん不安もありましたが、将来への希望のほうが大きかったです。

また、近年働き方の多様性を認めようとの動きも見られますが、起業するとサラリーマン時代よりも自由度がものすごく大きくなります。

自分で働く時間も決められます。
好きな人と働けます。

元々いた会社では、自分の提案したいものではなく、会社が売りたい商品を、会社の指示に従って売らなければいけなかったことがストレスになっていましたが、今は本当に顧客のことを考えた良いご提案ができるようになりました。
僕は、一歩踏み出してみることで、自分らしい働き方を確立できました。

もちろん、起業して最初の頃はいろいろ悩みも出てくると思います。
僕の場合は、チームのみんなが自分と同じように行動できると思ってしまい、アドバイスが空回りしてしまったことがありました。

その際、まわりに相談できる起業の先輩方がいたおかげで、自分のふつう（たとえば仕事への情熱や、スピード感）はみんなのふつうではないと気づき、そこから１人ひとりの個性を生かしてしっかり話し合いができ、良いチームづくりができています。

悩んだ時に相談できる人がいることはとても大きいです。初めての経験なので分からないことも出てきますし、その際1人で考えても限界があるからです。

1人で全部できなくても、いろいろな分野のプロをまわりに置くことで、起業はスムーズに進むと本当に感じました。

きちんと相談し、準備すればいい形で起業できると思いますので、ぜひ一歩前に進んでみてください。

村岡さんのロードマップ

①退職時期を決める

↓

②スキル、経験を棚卸する

↓

③自分の強みを中心にビジネス構築をする

↓

④商品化を考え、お客様を決める

↓

⑤ブランディングをする

↓

⑥発信する

↓

⑦退職し、自分の会社を設立する

【2人目】武藤正博さん（株式会社アップメソッド代表）

武藤さんとの出会いは、数年前、知人の会社設立パーティーでご挨拶をしたのがきっかけでした。

武藤さんは50代の大手企業のサラリーマン（システム関係）で、「起業とかしてみたいなとも思うんですけどねー」とおっしゃってはいたものの、まだ具体的に進んでいる段階ではありませんでした。

その後はFacebookで投稿を見かける程度でしたが、ある日突然、「起業を考えており、相談に乗っていただけないでしょうか」とご連絡がありました。

渋谷駅で焼肉ランチを食べながらお話をうかがったところ、会社でパワハラにあいパニック障害になってしまい、もう会社に戻って仕事をするのは難しいということで、起業の道しかないと思ったとのことでした。

誰もが名前を知っている大手企業で、30年以上ずっと働いてきてもそのようなことがあるのかと、お話を聞きながらこちらも胸が痛くなりました。

どのような方向性で起業しようと考えているのかお聞きしたところ、不動産投資の知識が豊富で、自身でも何棟か購入し管理しているとのことで、そのノウハウを提供していきたいとのことでした。

実際、他の投資ノウハウとは少し違って面白い内容でしたので、やってみましょうとお話しし、半年間コンサルティングすることになりました。

何から始めていいのか分からないとのことでしたので、**まずはカウンセリングからスタートし、武藤さんのやってきたことをいろいろと聞かせていただきました。**

その中で、大手企業サラリーマンの悲哀というか厳しさをたくさんうかがい、本当は会社を辞めたいと考えている人もいるが、なかなか情報を得る機会も、会社を飛び出す勇気もないとのことでした。

武藤さんのカウンセリングを進めていくと、「そのようなサラリーマン向けに不動産投資の情報を届けたい」という想いがあることが分かりましたので、その方向でブランディングやマーケティングを考えることにしました。

私は、最初のカウンセリングをかなりしっかり行うことにしているのですが、それは、その方の**自分でも気づかなかった本音、本当にやりたいことを明確にする**ためです。本音と違う方向に進もうとすると途中で疲れてしまうので、しっかりお話をお聞きすることを大切にしています。

武藤さんは、不動産投資について教える塾の運営をし、その集客のためにセミナーを活用することにしました。

また、実際に良い不動産物件を見つけて、ご紹介もすることにしました。

武藤さんは今まで営業のお仕事に携わっていたわけではなく、基本的に社内でお仕事をしていた方でしたので、お客様とのお話の仕方、会食の仕方、プレゼンテーションの仕方など、営業スキルも含めてお伝えしていきました。

服装も、今までふつうのスーツしか着ていなかったため、一緒に男性服の店舗をまわり、ブランディングに合わせたコーディネートに買い替えました。眼鏡や靴、鞄、髪型も変え、見た目も大きく変化しました。

それにより、**まわりの方たちから「武藤さん変わった！　いいですね！」と褒められることが増え、大きく自信につながった**ようです。

私がサラリーマンの方とお話しして思うことは、**みなさんとてもいい方で、努力もしてきていますが、ただ単に、今まで起業に必要な知識を学ぶ機会がなかったん**だなということです。

会社と家との往復では、なかなか学べる場や人を見つけることは難しいと思います。武藤さんとは小さなきっかけでしたが、このようにサポートができて嬉しく思います。

マーケティングとして、武藤さんはブログとYouTubeを中心に情報発信していくことにしました。

特にYouTubeは、話をするのにとてもいい練習になります。

話の構成もそうですし、動画を撮ることで、話し方や表情、ジェスチャーも含め、自分を客観視できるのでおすすめです。

武藤さんも最初は、テレビキャスターやユーチューバーのようにスラスラと話すことができず、どうしたらいいんだろうと試行錯誤していました。

ですが、とにかく慣れが大切なので、何度も撮っては見返して、自分のお手本とするテレビキャスターやユーチューバーの方の動画を研究するうちに、だんだんと上手になっていきました。

動画は何度も撮れますので、**まずは動画で話すことに慣れてから、実際の商談に向かうといい**と思います。

YouTubeの再生回数もだんだん上がっていき、そこからの問い合わせも増えていきました。

また、武藤さんにFacebookの投稿についてアドバイスしたところ、いいね数やメッセージの数が大きく変化し、問い合わせが入るようになりました。

まったくSNSを活用していなかった武藤さんでしたが、少しコツを覚えて活用していただくことで、大きな成果が出ました。

何より、YouTubeもFacebookも無料です。

今は無料でできることが多いので、一度やり方を覚えていただければ、あとはご自身で進めていくことができると思います。

また、**大きく効果があったのが、自己紹介テンプレートの作成**でした。

どなたかとお会いする時に、まず大切になるのが自己紹介です。

短い時間で自分についてどれだけ伝えられるか、印象に残せるかというところがテーマとなります。

武藤さんの出生から現在まで、そして趣味や想いもすべてカウンセリングさせていただいていたので、その中から伝えるといい部分を抜粋し、短い自己紹介を作成しました。

自己紹介を変えてから、ぜひお話しさせてくださいと先方から話しかけられることが増え、自然とアポイントが入るようになりました。

実際、最初は知識もなく、不安もあったと思います。

でも、そこからしっかり学び、実践したことで、武藤さんはサラリーマンを卒業し、会社を設立して社長となりました。

パワハラにあったことは本当に大変だったと思いますが、がんばって乗り越え、起業の道に進んで本当に良かったとのことです。

平日に旅行に行ったり、ホテルでランチをしたり、毎日会社と家との往復をしていたサラリーマン時代ではできなかったライフスタイルに変わったと、とても喜んでいらっしゃいます。

起業前

・パワハラを受けて、パニック障害に
・有名大手企業に30年以上勤務していたが、会社に戻れなくなる

起業後

・強みである不動産投資の知識と経験を、ノウハウとして提供。**不動産投資について教える塾の運営**
・良い**不動産物件のご紹介ビジネス**を開始
・**平日に、旅行やホテルランチ**を楽しむ

起業する方へのメッセージ

サラリーマン時代、仕事にやりがいがあり、年収も高いほうだったのでサラリーマン生活に満足していました。

しかし、上司と意見が合わず思うように仕事ができない、がんばっても評価されないなど、いつも会社のことで悩んでいました。

そしてパワハラにあったことで、思い切って退職。

起業は以前から考えていましたが、どう進めていいか分かりませんでした。

今回分かったことは、新しいことを1人で進めるのは難しいということと、きちんと専門家から学べば一気に進むということです。

新入社員の頃と同じで、1人で前に進むことは難しかったです。

起業して分かりましたが、自分の考えで仕事を決めることができ、成果が収入として返ってくるので、仕事のモチベーションが上がります。

こんなことなら、もっと早く起業すれば良かったと後悔しています。

みなさんも起業のテンプレートをぜひ学んで、人生を楽しんでください。

武藤さんのロードマップ

①今までの棚卸をして、本音を知る

↓

②ビジネスでしたいことを明確にする

↓

③想いに沿ったサービスを決める

↓

④不足しているスキルを身につける

↓

⑤ブランディングとして外見を整える

↓

⑥SNSを使って発信する

↓

⑦自己紹介テンプレートを作成する

↓

⑧退職し、自分の会社を設立する

バイトからの起業ストーリー
【3人目】伊藤奈美さん

奈美さんは、友人に紹介されたエステサロンで働いていらっしゃいました。

施術をしていただきながらいろいろお話ししていたところ、「実は独立しようと考えていて、オーナーといろいろ交渉中なんです」とのことでした。

みなさんご存じか分かりませんが、エステ業界は、相場としてお給料があまり高くありません。キレイなイメージを持って入る方が多いですが、労働時間も長く、実は大変きつい業界です。

その時は、独立に向けてがんばってくださいね、とお話しして終わりましたが、その後しばらくたってから、「独立はしたんですが、なかなか事業が軌道に乗らなくて……」とご相談をいただきました。

奈美さんは、サロンの準備や化粧品の仕入れなど独立にかかった金額のうち、自己資金で足りない分は金融機関からの借り入れでまかなっていました。そのため、しっかりと売上を出す必要がありました。

元々の顧客だけでなく新規顧客を増やしていくこと、１人ひとりのリピート率や単価のアップがテーマでした。

まずは新しいサロンに実際に足を運び、施術を受け、改善点のアドバイスをさせていただきました。

内装や、１つひとつのおもてなしについて、そして施術とその際のトークについてのアドバイスが中心となりました。

施術の技術アップはもちろんですが、それ以前のおもてなしやトークが、実はとても大切です。**トークによって、リピート率や化粧品の購入率は大きく変わります。**

それらサービス内容の改善はもちろんですが、その他、新規顧客獲得のためのブランディングとマーケティングについて、セッションを重ねていきました。

エステサロンもかなりの数がありますので、ただなんとなく経営していてもお客様は増えません。店舗経営は固定費（家賃など）がかかってくるため、きちんと支出を把握し、そこに希望の利益をプラスするといくら売上が必要なのかを計算し、売上目標を立てました。

美容系はInstagramの活用が有効なため、Instagramでどのような投稿をすればいいかもアドバイスしていきました。

施術の効果が分かるものや、お客様の感想などを載せ、あとは奈美さんの想いや人柄の分かるものを投稿していきました。

また、キャンペーンやクーポンの発行など、イベントも行いました。

その結果、新規顧客が増え、リピート率が大きく上がり、ご紹介の数も増えたため、安定した経営ができるようになりました。他にも、ダイエットなどしっかり結果を出したい方のための数か月単位のコースをつくり、顧客単価を上げることにも成功しました。

奈美さんも元々はエステ従業員からのスタートで、施術については実力があるものの、集客や経営についてはまったく知識がありませんでした。

１つひとつアドバイスしながら改善していくことにより、目標としていた月１００万円の売上を達成することができました。

ご結婚されているので、ある程度時間の余裕もつくりながら、きちんと結果が出たので良かったなと思います。

女性の起業が増えており、もちろん私も応援しているのですが、数字に弱い方が多いように感じます（実は私もそうでした）。

ある程度は数字を把握することが重要ですので、数字の考え方をお伝えし、きちんと利益の残る経営のアドバイスをしています。

ずっと従業員のままだと、どうしてもお給料は上がりづらいので、技術職の方は、ある程度実力をつけたら独立されるのがいいのではと思っています。

起業前

・エステサロンに勤務
・お給料が低く、長時間労働

↓

起業後

・Instagramを活用し、キャンペーン、クーポンの発行、イベントを行う。**新規顧客・リピート・ご紹介が増え、経営が安定**
・コースをつくり、**顧客単価がアップ**
・月商100万円を達成

奈美さんは、最初ご相談いただいた頃は不安そうでしたが、今はとても楽しそうに、好きなエステのお仕事をされています。**「好き」をきちんと事業に変えていくことができると本当に楽しいので、ぜひ、自分には何ができるかな？　と考えてみてください。**

起業する方へのメッセージ

長年エステ業界で働いてきましたが、実力がついてもそこまで給料も上がらなかったのと、フルタイムでの勤務が難しかったので、自分らしく働くために独立するしかないと思いました。

ただ、エステの知識はあっても、経営やマーケティングはまったく分かりませんでした。

今は、最初からきちんと学べばよかったと思っています。

パートの時とは大きく収入も変わり、楽しく仕事ができ、本当に起業して良かったと思っています。

伊藤さんのロードマップ

①サロンの内装・サービスを客観視する

↓

②サロンの内装・サービスを改善する

↓

③コストと利益を計算し、売上目標を決める

↓

④SNSを使って発信する

↓

⑤キャンペーンやクーポンなどイベントを行う

↓

⑥新規顧客、リピート、ご紹介が増える

↓

⑦コース商品をつくり、顧客単価を上げる

↓

⑧経営が安定する

バンドマンからの起業ストーリー

【4人目】宮田祐貴さん（合同会社Feel so Free代表）

サラリーマンからの起業事例ではありませんが、ゼロからの再構築の成功例として宮田さんをご紹介いたします。

宮田さんとの出会いはもう何年前でしょうか。

ビジネスセミナーでお会いしたのが最初だったと思います。

宮田さんは元々バンドマンで、プロを目指していましたが、バンド一本で生活する道は厳しく、お父様が会社を経営していたことから起業を考え、フリーランスとして映像制作や営業代行のお仕事をされていました。

宮田さんはパワーがあり、お仕事をがんばるタイプの方でしたので、どんどん営業し、業務を拡大されていました。

30歳の時に区切りとして法人化され、さらに努力を重ね業務拡大していましたが、コロナ禍により、突然世の中が大きく変化してしまいました。

最初の緊急事態宣言の際、宮田さんから突然、

「まゆみさん、実は仕事が止まって売上がゼロになってしまって……」

と電話でご相談を受けました。

当時はあいている飲食店もほとんどなく、なんとか見つけた東京駅のカフェで久しぶりにお会いしました。

お話をうかがうと、今まで決まっていた仕事がすべて延期になってしまい、緊急事態宣言により営業もできず、どうしたらいいか困っているとのことでした。

宮田さんからは、これを機にきちんと事業計画を立て、補助金を活用し、売上の回復を図りたいとのご要望がありました。

そこで、宮田さんはそれまで対面営業のみ行っていましたが、**ＷＥＢでのマーケティング戦略を立て、今の時代に合った新規事業を立ち上げる**ことにしました。

補助金の締切まで時間がなく、かなりタイトなスケジュールではありましたが、ヒアリングをもとになんとかこちらで事業計画書を作成し、補助金の審査に応募しました。

結果、無事に審査が通り、新規事業をスタートすることができました。

今まではがむしゃらに目の前の仕事をこなしてきた宮田さんですが、**いったん立ち止まって、会社の現状や世の中の状況、業界の特色、自社の強みなどを整理し、事業計画を立てたことにより、進む方向が明確になり、迷いがなくなりました。そこから事業は見事Ｖ字回復し、今では年商が億を超える企業になっています。**

宮田さんは三児のパパとして、仕事に子育てに、そしてバンド活動にと、人生を楽しまれています。

宮田さんは元々ビジネスの勉強をしていたわけでも、一流企業に勤めていたわけでもありません。

最初はなんとなくの起業スタートだったわけですが、学ぶ姿勢を忘れず、素直に人の力を借りることにより、どんどん成長されています。

よく、「起業してもうまくいかないよ」とか、「継続確率低いよ」などと言う方がいますが、うまくいかない方はきちんと知識のある人から学ばず、思い込みで事業を進めていると、私は思います。

なんでも新しいことを始める時は、自分1人で考えてもうまくいきません。悩んでいても何も進まないので、教えてもらいながら進んでいくのが一番早く、確実です。

最後に宮田さんから、起業を考えている方へメッセージをいただきました。

ご相談前

・コロナ禍で売上ゼロに
・対面営業のみ
・きちんと事業計画を立てていなかった

ご相談後

・**WEBを活用した事業計画**を立てる
・**補助金申請が通る**
・年商が**億を超える**
・三児のパパとして、**子育てを楽しむ**
・**バンド活動も楽しむ**

起業する方へのメッセージ

20代の時に勢いで起業したので、起業当初は手元資金がかなり少なく、毎月支払いがギリギリな状態でした。

事業計画をしっかり立てていなかったので、無駄な時間・出費が多かったと今になって感じます。起業後、先輩方と出会う中で、知識も増え、だんだんと経営者として成長させていただきました。

起業して、今まで以上に、「人生は自分次第」だと感じられるようになりました。

人生をより面白く生きられる手段の1つとして、起業があると思います。

失敗をおそれず、挑戦していただきたいです。

宮田さんのロードマップ

①コロナ禍により、仕事がすべてなくなる

↓

②戦略を変えて、新規事業を立ち上げることを決める

↓

③会社や世の中の現状、業界の特色、自社の強みなどを整理する

↓

④事業計画書を作成する

↓

⑤進む方向が明確になり、迷いがなくなる

↓

⑥補助金を申請し、申請が通る

↓

⑦事業がV字回復する

学校の先生からの起業ストーリー

【5人目】伊庭和高さん（株式会社マイルートプラス代表）

もう1人、事業計画を立てることで、挫折しかけていた計画を形にされた伊庭さんの例をご紹介します。

伊庭さんとは、経営者交流会での出会いがきっかけで知り合いました。

とても丁寧で、分かりやすくお話をされる方だなという印象で、いろいろとお話ししてみると、起業前は学校の先生をされていたとのことでした。

早稲田大学から大学院に進学され、そこから元々の夢だった学校の先生になるという「超安定コース」を歩まれた伊庭さんですが、**「今まで学んできた心理学を大**

人にも伝えていきたい」という想いが芽生え、数年にわたる起業準備期間を経て、独立されたそうです。

平日の夜と休日を、起業の勉強やＷＥＢでの発信にあて、コツコツ準備した結果、起業してからもとてもスムーズに事業展開でき、すぐに目標月商を達成されたそうです。「コツコツ起業準備したことがしっかり生かされました」とおっしゃっていました。

「起業したいけれど、時間がないです」とおっしゃる方が一定数いらっしゃいます。私もそうでしたが、伊庭さんも**フルタイムで働きながら、時間をつくって準備してきました。**それは、コツコツ準備して積み重ねていけば、将来的に大きく変化できると分かっていたからです。伊庭さんは起業した結果、**収入の増加はもちろん、何より自分の好きなことを仕事にできていて、毎日とても楽しい**とおっしゃっていました。

ブログやYouTubeといったＷＥＢでの発信を中心に、個人向けの心理カウンセリングを提供する活動をされてきた伊庭さんでしたが、これからは法人向けに研修事業も展開していきたいとのご相談を受けました。

元々考えてはいたものの、コロナ禍の影響もあって、どう進めていいか悩んでいたようです。そこで伊庭さんに、**補助金も活用しながら、ブランディングをしっかり固めて、新規事業を進めていく**ご提案をしました。

伊庭さんは起業してから一度も補助金を申請したことはなく、補助金制度自体が遠い存在のように感じておられました。

「多くの従業員を抱える企業しか、申請できないのでは?」「申請書類が複雑ではないか?」と思い込み、制度自体を知ろうともしていなかったそうです。

ですが、もちろん伊庭さんにも申請できるので、きちんとご説明すると、ぜひやってみたいとお返事をいただきました。

補助金申請に必要な事業計画書の作成のため、伊庭さんの事業内容をヒアリングし、書類をまとめていきました。伊庭さんのイメージしていた計画がきちんと書面になり、喜んでくださいました。さらに申請時のチェックでは、担当の方から「この資料は非常にわかりやすい」と言っていただけたようです。

そして補助金の審査を通り、１００万円近くの補助を受けることができたので、企業研修用のホームページを作成し、オンラインで完結するセミナーの詳細などを掲載できました。ブランディングのアドバイスもさせていただき、他の会社とは違う、伊庭さんらしさをきちんとアピールしたところ、**企業から社員のメンタルケアセミナーの依頼が来たり、コンサルティング依頼があったりと、一時は挫折しかけていた伊庭さんの計画がしっかりと形になっていきました。**

伊庭さんはもう独立して数年たっていましたが、補助金の知識はなく、ちょうど次の事業について試案されていた段階でしたので、お役に立つことができました。

この事例のように、**実は自分にも使える制度があったり、きちんと事業計画を立てることで、なかなか進まなかった計画がスムーズに進んだりする場合があります。**

１人では難しい場合もあると思いますので、その際は専門家の知識を借りてください。自分にはできないと思い込んで立ち止まってしまうことが、何よりももったいないです。

伊庭さんから、起業を考えている方へメッセージをいただきました。

起業する方へのメッセージ

起業する上でも「**継続は力なり**」が重要だと、身をもって体感しています。

毎日の仕事は忙しかったですが、優先順位を決めて時間をつくり、コツコツと起業準備を進めた結果、スムーズに起業できました。

起業する期限を決め、毎日少しでもいいので行動に移してみてください。

応援しています！

起業前

・夢だった学校の先生の仕事をしていた
・学んできた心理学を、大人にも伝えたいと思う
・平日の夜と休日を、起業の勉強やＷＥＢでの発信にあてる

起業後

・コツコツ準備した結果、スムーズに事業展開でき、すぐに**目標月商を達成**
・収入の増加
・好きなことを仕事にでき、**毎日とても楽しい**
・補助金を活用して、**法人向けに研修事業を展開**

伊庭さんのロードマップ

① サラリーマン時代に起業する期限を決めて勉強をする

↓

② WEBでの発信など準備をする

↓

③ 起業後、目標月商達成

↓

④ ブログやYouTubeなどでの発信

↓

⑤ 法人向けの新事業展開を考える

↓

⑥ 補助金申請のため、事業計画を立てる

↓

⑦ 補助金申請が通り、ブランディングを固める

↓

⑧企業からのオファーが来る

おわりに　小さな起業で、理想の人生を生きよう

いかがでしたでしょうか？

最終章では、クライアントの事例の一部を紹介させていただきました。

これから起業する方のお役に立てればと、事例の掲載をみなさん快く承諾してくださいました。


みなさん最初から何かキャリアがあったわけでも、人脈があったわけでも、お金があったわけでもありません。

自分のこれからの将来、生き方を考えた時に、

「今のままではなく、起業という道もあるのでは？」

と考え、そこに向けて一歩ずつ進んでいっただけです。

企業に就職しても終身雇用ではなく、給料はあまり増えず、平均寿命は延びているのに年金の支給額は減っている……という中で、どう働き、どうライフスタイルを構築していくのか、人生設計を考える必要が増しています。

ご自身の人生設計に合わせた事業計画を立て、一歩ずつ進んでいくと、きちんと理想の未来にたどりつけます。

この本が、自分らしい人生設計を考えるきっかけになったり、ヒントになれば幸いです。

私の好きな言葉で、「情熱にまさる能力なし」という言葉があります。自分の人生を、そしてまわりの人の人生を良くしようという情熱さえあれば、なんだってできます。

最初は、小さな起業で大丈夫です。コツコツ続けることで大きな変化となっていきます。

人生一度きり。楽しく理想の人生を生きましょう。

ここまで読んでいただき、本当にありがとうございました！
最後まで読んでいただいたあなたに、**読者限定プレゼント**をご用意しました。

・本書に書ききれなかった事例やウラ話
・起業ロードマップのさらに詳しい解説
・クライアントとの対談

などのスペシャル動画を、ＬＩＮＥにてお送りします。
こちらのＱＲコードから、限定プレゼントを手に入れてくださいね。

最後に、本書を出版するにあたり、本当に多くの方々にお世話になりました。
心より感謝申し上げます。

この本によって、起業を自分事として、身近に感じていただけたらとても嬉しいです。

起業は、これからさらに世の中のスタンダードになっていくと思います。

今日が一番若い日です。
何事も、早く始めたほうが有利です。

「まずは起業について、きちんと勉強してみようかな」
と思った方は、いつでもご連絡ください。

喜んで新しい一歩の応援をさせていただきます。

２０２３年　２月

柴家　まゆみ

著者プロフィール
柴家 まゆみ（しばいえ・まゆみ）

司法書士
起業コンサルタント

中央大学法学部を卒業後、司法書士事務所に勤務しながら、司法書士の資格取得の勉強をし、トップ合格。
毎日、終電まで働く中、このままの生活では倒れると感じ、起業を決意。
起業に必要なマーケティング、セールスを心理学視点から学び、起業後、数か月で月商100万円を超え、紹介のみで仕事が途切れない状態に。
現在は、司法書士として会社の登記、契約書作成等の法務業務に携わる傍ら、自身の起業経験を生かし、起業したい方へのコンサルティングを行う。

司法書士として250社以上の会社設立に関わった他、コンサルティングしたクライアントが、2か月目に月商100万円、YouTubeでの売上500万円超え、1年後に年商億超えなどの実績がある。起業後も継続サポートし、補助金の獲得も累計3,000万円以上を達成。

自分と同じように真面目に会社のために働き、残業してもなかなか給料が上がらないサラリーマンの現状を打破したいという想いから、「サラリーマン起業基礎クラス」を運営し、サラリーマン起業のサポートをしている。

ホームページ
https://shibaiemayumi.com/

装幀／齋藤稔（ジーラム）
本文デザイン・組版／白石知美、安田浩也（システムタンク）
本文イラスト／小瀧桂加
編集協力／小関珠緒
校正協力／永森加寿子
編集／田谷裕章

資格なし！アイデアなし！カリスマ性なし！
「ふつうサラリーマン」の起業術

初版1刷発行 ● 2023年2月20日

著者

柴家《しばいえ》 まゆみ

発行者

小田 実紀

発行所

株式会社Clover出版
〒101-0051 東京都千代田区神田神保町3丁目27番地8 三輪ビル5階
Tel.03(6910)0605 Fax.03(6910)0606 https://cloverpub.jp

印刷所

日経印刷株式会社

ISBN978-4-86734-126-1 C0030

本書の内容に関するお問い合わせは、info@cloverpub.jp宛にメールでお願い申し上げます